D1244896

Mujer y maestra
en un mundo de hombres

Viviana Rivero

Mujer y maestra
en un mundo de hombres

 emecé

Rivero, Viviana
  Mujer y maestra / Viviana Rivero. - 1a ed . - Ciudad Autónoma de Buenos
Aires : Emecé, 2016.
  176 p. ; 23 x 15 cm.

  ISBN 978-950-04-3834-6

  1. Ensayo Sociológico. I. Título.
  CDD 301

© 2016, Grupo Editorial Planeta S.A.I.C.
Publicado bajo el sello Emecé®
Independencia 1682 (1100) C.A.B.A.
www.editorialplaneta.com.ar

Diseño de cubierta:
Departamento de Arte de Grupo Editorial Planeta S.A.I.C.
1ª edición: septiembre de 2016
28.000 ejemplares
Impreso en Gráfica TXT S.A.,
Pavón 3421, Ciudad Autónoma de Buenos Aires,
en el mes de agosto de 2016.

IMPRESO EN LA ARGENTINA / PRINTED IN ARGENTINA
Queda hecho el depósito que previene la ley 11.723
ISBN: 978-950-04-3834-6

Este libro fue galardonado en el año 2009 con el Primer Premio de Novela Histórica otorgado por el gobierno de la provincia de San Luis. El jurado estuvo compuesto por Pacho O'Donnell, Lucía Gálvez y Muriel Balbi.

A mis hijos Victoria y Cristóbal.
Porque sé que en sus corazones vive el fuego
de los sublimes ideales que impregnan este libro.
Esa antorcha que, al saberla en sus manos,
me hace creer que es posible un país mejor...
Un mundo mejor.

PRÓLOGO A LA NUEVA EDICIÓN

Cuando la editorial me invitó a escribir un prólogo para la nueva edición de esta novela, la idea me encantó. No sólo porque el libro encierra caros sentimientos para mí –el relato que narra la vida de una de las primeras maestras que tuvo el país recibió el Primer Premio de Novela Histórica y más tarde se forjó su propio lugar como texto de estudio en las aulas de los colegios secundarios–, sino, y sobre todo, porque desarrolla un tema que a mí, como mujer y argentina que soy, me enorgullece abordar: la valentía que demostraron aquellas docentes que se enfrentaron a la cerrada sociedad argentina del 1800, a la Iglesia católica a la que pertenecían y aun a sus propias familias. No les resultó cómodo ser fieles a su convicción en tiempos en los que se consideraba que las únicas vocaciones que una mujer podía abrazar eran las de ser madre o monja. En pos de sus ideales, ellas se levantaron diciendo que querían cambiar el país enseñando, porque eso era lo que tenían grabado en el corazón.

Durante aquellos años, tras regresar decepcionado de su recorrido por Europa, donde buscó un modelo educativo para implementar en la Argentina, Domingo Sarmiento viaja a Estados Unidos. Allí, encuentra lo que estaba buscando: la educación normal. Si bien el sistema tenía su origen en Francia, en el país del norte había alcanzado gran desarrollo. El mandatario traerá estas ideas al país y, para implementarlas, entre 1869 y 1898, viajarán desde Estados Unidos a la Argentina sesenta y cinco docentes. Ellos –sesenta y una mujeres y cuatro hombres– serán, junto a las primeras mujeres argentinas con vocación de enseñar, los que fundarán en nuestro país las escuelas normales, primeras instituciones educativas no religiosas. Hasta ese momento, la educación había estado en manos de la Iglesia católica; y ahora, y por primera vez, la impartirían seculares empoderados por el gobierno. La iniciativa –aplaudida por el sector liberal de la nación y criticada por los tradicionales– trajo discusiones, revueltas y movilizaciones. En algunos lugares, como Córdoba, en donde transcurre la historia de esta novela, un grupo de fanáticos religiosos llegará a exorcizar los colegios por considerarlos diabólicos. El conflicto alcanzará el mayor punto de rispidez luego de la entrevista mantenida entre las directoras y las maestras del colegio normal con el enviado papal. El encuentro tuvo derivaciones de trascendencia política: irritado por la ingerencia del nuncio, el presidente Roca le exigió la documentación y su rápido retiro del país; es decir, lo expulsó. Desde entonces y durante quince años, la República Argentina rompió relaciones diplomáticas con el Vaticano.

Sin embargo, en medio de las discusiones desatadas en un clima de beligerancia, las escuelas normales a cargo de las primeras maestras argentinas cumplieron su cometido marcando la educación, dejando en nuestro sistema educacional una impronta, una huella indeleble. Con los años, Argentina llegó a ser el país con mayor asistencia escolar de Latinoamérica, superando, incluso, la de algunos países europeos.

Esta novela trata de la vida de una de esas maestras que firma un contrato con el Estado argentino para ejercer el magisterio en un colegio normal. Por ese acuerdo se comprometía –como se le exigía a modo de sacerdocio– a usar vestidos que no mostraran sus tobillos, a no concurrir a las heladerías, a no subirse a un carruaje a solas con un hombre, a no maquillarse y a no tener novio ni a casarse.

Pero allí, en ese flamante edificio escolar –foco de grandes revueltas y ámbito en el que se respiraban grandes ideales–, a la maestra Mercedes Castro la vida le deparará sorpresas. Y mientras se levanta el colegio normal de Córdoba –fundado en el año 1884, y que hoy se encuentra enhiesto y firme en la avenida Colón, repleto de alumnos festejando sus ciento treinta y dos años de existencia–, ella vivirá su vida de maestra y, también, de mujer.

Sin dudas, aquella labor que realizaron las mujeres señeras como Mercedes es el legado que disfrutan los alumnos de hoy.

Viviana Rivero
Córdoba, septiembre de 2016

CAPÍTULO 1

PODERES Y DISPUTAS

En política,
los experimentos significan revoluciones.

BENJAMÍN DISRAELI

CIUDAD DE CÓRDOBA, SEPTIEMBRE DE 1884
Las dos jóvenes mujeres cruzaron la calle y comenzaron a escuchar la voz del rezador que cantaba trisagios en la casa de los Martínez. El sol de la tarde caía sobre las sencillas construcciones de la cuadra.

Ya en la vivienda, no necesitaron golpear; la puerta estaba abierta de par en par. Desde la entrada se alcanzaba a ver el cadáver del niño puesto sobre la mesa del humilde comedor; y a la gente, comiendo empanadas a su alrededor.

Mercedes observó de reojo a Frances Wall y, al ver su desazón frente a la imagen, decidió alertarla:

—No se asuste, *miss*, los velorios de los angelitos son así.

La norteamericana, que intentaba conservar su fortaleza, contestó con una seña de asentimiento y Mercedes la tomó del brazo con decisión para ingresar juntas a la morada.

La madre del niño las distinguió entre los demás. Sus cabellos claros y sus vestidos arreglados sobresalían:

—Maestra Frances... Maestra Mercedes...

—Pochita... —la saludó Mercedes.

—Señorita..., mi hijito se nos fue. Tres días luchó, pero

15

se le acabaron las fuerzas... Todo fue sufrimiento... Debería haber visto su carita... pero ahora... ya es àngelito.

Las maestras entendían su sufrimiento, sabían cuánto amaba la mujer a su único hijo varón, de sólo cuatro años; siempre les hablaba de él cuando las cruzaba en el colegio mientras limpiaba las aulas.

—Lo siento tanto, Pocha..., tanto —dijo *miss* Wall acongojada.

Mercedes, con los ojos llenos de lágrimas, miró a la madre, y, comprendiendo qué se esperaba que pronunciara en estos casos, exclamó:

—¡El angelito ya está en el cielo!

El semblante de Pocha se desdibujó de dolor, pero, a punto de comenzar el llanto, se contuvo: ella no debía llorar. Al fin y al cabo, esa era una noche de fiesta, su hijo era ahora un ángel.

Las tres se acercaron al cuerpo sin vida de Danielito. Llevaba ropa blanca y a su alrededor la mesa estaba cubierta de flores artificiales; a la altura de los brazos, dos pedazos de papel blanco semejaban las alas. Sobre él pendía del techo, a modo de cielo raso, una sábana blanca decorada con estrellitas de papel brillante.

Su madre lo miró con devoción y dijo:

—Mañana se lo prestamos a los Ramírez. Ellos lo necesitan, le pedirán al angelito un milagro para don Esteban. La sepultura se hará recién el jueves.

Frances Wall se escandalizó ante la idea de que el pequeño difunto fuera prestado a otra familia antes de ser enterrado. Mercedes, más acostumbrada a esta práctica de las clases bajas argentinas, le dijo a la madre:

—Cuente con nosotras para lo que necesite, Pocha.

—Sí, lo que sea —agregó *miss* Wall.

—Muchas gracias. Ahora pasen y únanse a nosotros. La madrina de Danielito hizo empanadas y el padrino trajo vino patero —dijo la madre señalando el patio de donde provenía el bullicio. Los padrinos, como era de esperar, se habían hecho cargo de la parte que les tocaba.

Por cortesía, fueron hacia el patio. Allí el clima era en verdad festivo; un músico preparaba su guitarra para comenzar con las canciones y, tal vez, si esa noche los ánimos acompañaban, hasta hubiera baile. La familia Martínez debía considerarse privilegiada al haber sido elegida por el destino para que su niño muriera antes de los siete años y pudiera convertirse en un ángel de Dios.

Los convidados comían y charlaban animadamente. Las dos maestras saludaron a algunos conocidos. Otros, de lejos, las miraron con desdén.

El colegio normal, recientemente inaugurado por el gobierno para formar maestras, que le quitaba preferencia a la Iglesia católica en la educación, más la ley 1420, que erradicaba por primera vez los contenidos religiosos de los programas escolares, tenían a los cordobeses divididos a muerte. El propio vicario Clara, por carta pastoral, había prohibido el envío de niñas católicas a esa escuela, lo que le había valido la suspensión en su cargo por parte del gobierno y hasta una inminente acción judicial.

El presidente Roca, continuando con la política de Sarmiento, había nombrado vicedirectora del colegio normal a *miss* Wall. Y desde su apertura, en junio, la maestra norteamericana se había convertido en uno de los blancos preferidos de la crítica.

Los cordobeses tradicionalistas se preguntaban: «¿Para qué necesitamos una maestra extranjera –para colmo de males, protestante– enseñando en nuestras escuelas? ¿No le

17

bastaba al gobierno con haber sacado la enseñanza religiosa de los colegios?».

Los liberales, en cambio, festejaban con bombos y platillos la separación de la enseñanza y la religión, recientemente instaurada.

Hasta la joven Mercedes Castro, maestra y profesora argentina, católica de buena familia, caía en la volteada de las críticas. ¿Cómo era posible que una chica de cuidada educación apostólica romana apoyara este tipo de enseñanza nueva impuesta por el gobierno, y se aventurara a servir de apoyo a «las maestras de Sarmiento», tal como llamaban popularmente a las docentes norteamericanas traídas por idea del educador?

Esa era la razón por la cual muchos ojos escrutaban a las dos jóvenes en la colmada casa de la familia Martínez, en la ciudad de Córdoba.

Miss Wall no se amilanó y en la galería se dedicó a convencer a una de las mujeres para que enviara a su hija al colegio que regenteaba, explicándole que no había ningún peligro espiritual en sus claustros.

Mercedes decidió entrar una vez más al comedor; quería rezar un rosario por el pequeño.

Ya en la sala, pudo sentir la presencia de la muerte más allá del disfraz de festejo. Y en la mitad de sus plegarias, un recuerdo doloroso de su niñez la golpeó: la remembranza del velorio de sus padres, años atrás, se le hizo tan vívida que antes de terminar sus oraciones necesitó salir a tomar aire.

Mientras lo hacía, por la puerta del frente hizo su ingreso doña Teresa García, una de las máximas exponentes de las familias tradicionales de la ciudad de Córdoba, acompañada de dos sirvientas.

La sencilla Pocha Martínez y la aristocrática Teresa García se encontraban ligadas por un extraño vínculo. Dos años atrás, en el verano, durante una gran creciente del río Primero, el marido de Pocha había salvado la vida de uno de los hijos de doña Teresa. El niño, que jugaba distraído, no había visto venir la pared de agua proveniente de las lluvias en las sierras y el hombre, arriesgando su vida, lo pudo sacar de la correntada. Y ahora la señora García, como buena cristiana, venía a acompañar a la humilde mujer a pesar de las diferencias sociales que las separaban.

De lejos, Mercedes alcanzó a escuchar la exclamación de doña Teresa:

—Pocha querida..., ¡su hijo ya es un angelito! —Unas pocas palabras más en tono bajo y algunos murmullos dolorosos de la dueña de la casa completaron el encuentro.

Luego, doña Teresa pasó al patio, donde la recibió el señor Martínez. Mientras charlaba con él, descubrió a *miss* Wall y a Mercedes, a quienes miró durante un buen rato, hasta que, decidida, recogió sus faldas y se acercó a ellas.

—Buenas tardes, señoras.

—Buenas tardes —contestaron pasmadas y casi al unísono.

Las dos maestras conocían muy bien a la señora García: era una de las principales oponentes a la escuela normal cordobesa donde ellas trabajaban. La mujer había enviado una extensa carta al colegio instándolas a que se retractaran de semejante obra. Al mismo tiempo, se había tomado el trabajo de ir casa por casa, visitando a las familias más importantes de la ciudad, para explicar que Dios no veía con agrado la existencia de una escuela sin enseñanza religiosa. Aseveraba, también, que nadie que se preciara de cristiano podía enviar allí a sus niños.

A más, cada tarde, a la hora del gallo, se hacía llevar por su cochero hasta la casona de la calle Alvear, donde funcionaba la escuela, y allí, frente a la construcción, rezaba un rosario, rogándole al Jesús bendito que expulsara a las huestes malignas de la ciudad, las que ella veía representadas en ese edificio. Durante los primeros días había llegado escoltada por tres –a veces, cuatro– señoras de igual pensamiento; pero la vagancia y la comodidad de las mujeres había primado, y ahora sólo la acompañaba una de sus sirvientas.

La voz de Teresa dirigiéndose a las maestras se escuchó con claridad en el patio:

–Señoras, no sé qué vínculo tienen ustedes con Pocha Martínez, pero la Providencia me ha hecho encontrarlas en este lugar, así que no ahorraré palabras para lo que tengo que decirles.

–El vínculo que nos une a la señora Martínez es laboral, ya que ella es la encargada de limpiar nuestra escuela. Y ya me imagino cuál es el tema que desea tratar, pero este no me parece el mejor lugar –contestó *miss* Wall, comenzando a impacientarse.

–Cualquier lugar es bueno cuando se trata de reparar un error, como es esa escuela sin principios religiosos que ustedes están llevando adelante... de la que ahora también es parte Pocha. ¿Y se puede saber a cuánta gente más piensan enredar en ese perverso proyecto? –exclamó irreverente.

Mercedes pensó que era hora de intervenir. Lo mejor era hablar de cordobesa a cordobesa porque a *miss* Wall, cuando estaba nerviosa, a veces se le mezclaba el inglés con el castellano.

–Señora García, no deseamos que nadie deje de lado sus creencias religiosas. Nuestro colegio es simplemente eso, un colegio. Un lugar de enseñanza. Para lo religioso está la casa, y la iglesia.

–No sea atrevida, señorita Castro. Las enseñanzas de Dios deben impartirse en todos lados: casa, iglesia y colegio.

20

—Creo que esta conversación no nos lleva a ningún lado —dijo *miss* Wall observando, incómoda, a su alrededor.

—No nos lleva a nada porque usted y sus maestras no entran en razones. Pero le digo una cosa, *miss*: ese colegio normal no tiene destino. Y yo misma trabajaré día y noche para que no progrese. Este país no necesita ese tipo de ridícula educación que ustedes pretenden: laica, gratuita y obligatoria.

Y sin permitir que las dos jóvenes le respondieran, la mujer dio media vuelta y se dirigió hacia la salida de la casa.

Tanto Mercedes como Frances Wall quedaron consternadas. Y al ver las miradas indiscretas que se posaban sobre ellas después de la charla subida de tono, decidieron que era el momento de retirarse del velorio del angelito, no sin antes saludar con rapidez.

Ya en la calle, volcaron en comentarios lo que saturaba sus corazones desde que habían comenzado las clases, unos meses atrás.

—¿Es que no logran entender que sólo perseguimos que esta ciudad tenga un buen colegio? —dijo la norteamericana.

—Ya lo entenderán. Hay que darles tiempo, *miss*. Ahora lo único que nos queda es continuar con nuestra tarea de enseñar.

Apuraron sus pasos. Pronto se haría de noche y dos mujeres no debían andar solas por la calle. Si lo hacían, corrían el riesgo de ser la comidilla de los chismes al día siguiente y ya bastante tendría la gente para comentar con la discusión sostenida con la señora García.

La marcha agitada las llevaba a ritmo impetuoso cuando, a la vuelta de una esquina, se toparon con Juan Manuel Urtiaga, hacendado y abogado porteño, instalado en Córdoba desde hacía unos meses por designación especial del presidente Roca.

La tesis universitaria de Ramón Cárcano denominada «La igualdad de los derechos de los hijos naturales, adulterinos, incestuosos y sacrílegos», que se oponía a los principios de la Iglesia católica, había hecho poner los ojos de todo el país en la universidad de Córdoba. En la misma carta pastoral en la que se mostraba contrario al funcionamiento del colegio normal, el vicario Clara había prohibido la lectura de la tesis. La iglesia sentíase agredida por los vientos liberales que corrían. El presidente había enviado al doctor Urtiaga para que observara en qué terminaba el formidable jaleo y, de ser necesario, para que participara del debate. No quería que su gobierno, también liberal, quedase mal parado.

El elegante hombre, con su imponente metro ochenta, las miraba entre divertido y sorprendido ante el choque que acababan de tener en la esquina:

—Perdón, señoras... Buenas tardes.

—Buenas tardes, don Manuel —contestaron las dos.

Mercedes no pudo evitar ponerse nerviosa. Cada vez que se cruzaba con él, a la salida de misa o en algún evento social, los ojos de Urtiaga parecían traspasarla. Y no era fácil disimular. Él no era un muchacho; era un caballero hecho y derecho.

—¿Necesitan que las acompañe? Las veo presurosas y la tarde ya casi acaba.

—Venimos del velorio de Danielito Martínez, y se nos ha hecho tarde —indicó *miss* Frances—. Pero, por favor, no es necesario que se tome la molestia —añadió cuando sopesó que, si se dejaban acompañar por un hombre que no era familiar de ninguna de las dos, sería peor el remedio que la enfermedad.

Mercedes se limitó a asentir. La presencia de don Manuel la intimidaba.

—Como quieran, señoras. Seguramente vienen de un momento duro, pero aprovecho... Señorita Mercedes, la espero en la reunión que tendrá lugar en la universidad el día lunes... Uno de los temas que trataremos será el del colegio.

—Lo lamento, no creo que sea posible. La escuela se lleva buena parte de mi tiempo —dijo Mercedes, haciendo honor a la verdad.

Y *miss* Wall agregó:

—Sí, y los ánimos de los cordobeses están demasiado exaltados como para que vean a una de mis maestras en un mitin político. Sé que sus intenciones son buenas y agradezco su apoyo a nuestro establecimiento, pero entiéndanos.

—Claro que la comprendo, *miss*, pero recuerde que mi respaldo al colegio es incondicional; igual que hacia ustedes —agregó mirando fijamente a Mercedes—. No duden en hablarme, si me necesitan.

—Gracias... Y buenas noches, don Manuel.

—Señoras, ha sido un placer encontrarme con ustedes —dijo con un gesto galante de reverencia hacia las damas, y se despidieron.

Unas cuadras más adelante, *miss* Wall le comentó a Mercedes:

—Querida, me parece que don Manuel te mira con interés. Aunque es un poco mayor para ti. ¿Qué crees?

La joven se tomó unos segundos para contestar. Claro que ya había notado cómo la miraba el hombre; también había percibido lo atractivo e instruido que era. Estaba en la cresta de la ola de los pensamientos liberales que mecían al país. Pero ella sólo tenía cabeza para su trabajo: el colegio normal. Además, recién acababa de cumplir los veintidós años, mientras que don Manuel —estaba segura— pasaba los treinta y ocho.

—*Miss*, yo no creo nada. Usted sabe que el proyecto del normal se lleva todas mis energías. No tengo lugar para pensamientos de otra naturaleza.

Miss Frances sonrió. Los casi diez años que le llevaba a Mercedes la hacían un poco más sabia en estos asuntos. Y la muchacha no la engañaba: Manuel Urtiaga no era el único interesado en una relación.

Luego de avanzar unas cuadras, *miss* Frances llegó a su casa, y Mercedes siguió sola unos metros más. Vivían muy cerca.

Ya en su hogar, sintiéndose al reparo de toda contienda, y feliz, saludó a su tía con un sonoro beso.

—Hola, tiíta. ¿Cómo sigue su pierna? —preguntó Mercedes refiriéndose a los dolores de hueso que la anciana venía sufriendo en el último tiempo.

—Hola, querida. Mi pierna sigue dolorida, pero hay cosas peores. ¿Cómo estaba Pocha? ¿Ha sido muy duro?

—Lo llevaba con entereza. La convicción de que es un angelito la tranquilizaba bastante.

—Me imagino... Pobre mujer... Ahora, come algo, que cada día estás más delgada, y así no conseguirás pretendiente —le dijo doña María en alusión a su figura, que distaba mucho de tener toda la carne que la moda exigía. Su cuerpo escuálido y sus piernas largas no conformaban, precisamente, el modelo femenino preferido por los hombres.

—Tía, deje ya de buscarme novio. Sabe que mi prioridad es la educación y en este momento la escuela normal ocupa el primer lugar en mi corazón.

—¡Cómo no lo voy a saber! ¡Si en misa todo el mundo me ha pedido que hable contigo para que desistas!

—Lamento decepcionar a esas viejas cascarrabias, pero no desistiré. Y no lo haré hasta que vea a este país lleno de escuelas, donde cada niño pueda estudiar sin importar cuál es su posición económica, social o su religión. A este país lo hacemos grande con educación para todos, como dijo el sanjuanino que no le quiero nombrar.

—Pues no me lo nombres, que él y yo aún tenemos nuestras diferencias por franquear —dijo aludiendo a la polémica figura del ex presidente Sarmiento—. Ahora, cómete una humita en chala de las que hizo Eulogia y que te ha dejado al lado del fuego. ¡La pobre mujer ya no sabe qué cocinarte para que comas con ganas! —expresó refiriéndose a la criada que la acompañaba desde hacía años y señalando el brasero de cobre con brasas de leña que calentaba la casa y que, en los meses fríos, se ubicaba en las salas de cada familia acomodada de la ciudad.

—No tengo hambre; ya he comido algo en casa de los Martínez. Prefiero irme a dormir. Estoy cansadísima y mañana debo dar clases. —Y mientras lo decía, besó de nuevo a la mujer y se retiró en medio de sus quejas.

Ya en su habitación, comenzó a desvestirse. Se sacó el pantalonete de encaje, las tres enaguas de volados y el polisón. Y, al observarse con poca ropa, en el espejo reconoció que su tía tenía razón. Si bien su rostro era armonioso, y sus cabellos, claros y vistosos, estaba muy delgada. Recordó la frase de su tía –«No conseguirás pretendiente»– y concluyó que su silueta no era precisamente el peor de los problemas: el inconveniente principal era el susto que provocaba a los muchachos que ella trabajara como maestra y ganara su dinero.

Se rio, no le importó. Y le vinieron a la mente el rostro anguloso y los ojos grises de don Manuel. Pero arrancó esa imagen pensando en su escuela. El deseo de extender la educación en el país se le había metido hasta la médula y se había transformado en su prioridad. Un hombre y esa prioridad, por ahora, eran incompatibles.

Tal vez, había sido por los cientos de libros que había leído; o por la soledad que sintió ante la muerte de sus padres durante aquella fatídica epidemia de cólera, cuando ella era sólo una niña y tuvo que irse a vivir con su tía... Pero lo cierto era que estudiar y enseñar se habían convertido en el centro de su vida. Y gracias a Dios, su tía María, la hermana mayor de su padre, apoyaba su aspiración como siempre lo había hecho en todo. Al recibirla en su casa, a pesar de su soltería y de no entender nada de niños, la mujer la había aceptado y amado. Y con el paso de los años, al día de hoy, se había convertido en su mayor sostén.

Todavía recordaba cuánto afán había puesto durante sus años de estudio junto a las monjas sabiendo que se preparaba para enseñar a otros. Nunca, ni aun de niña, por su cabeza había dejado de pasar la idea de que se dedicaría a educar.

Esa misma sed era la que la había llevado a vivir en Entre Ríos con una familia de conocidos durante un tiempo, hasta conseguir su título de profesora en la primera escuela normal de la República Argentina, que funcionaba en Paraná, fundada por inspiración de Sarmiento. En esa institución había conocido un nuevo concepto, fuerte y distinto, de la educación. Luego, había vuelto a su ciudad para el proyecto del normal cordobés. Y ahora estaba allí, embarcada hasta la coronilla, pero feliz y entusiasmada. Se dio una última mirada en el espejo y se tendió en la cama. Estaba exhausta.

Con la bata de dormir puesta, apagó las velas del candelabro de su mesa de luz. Recordó el rostro de algunas de sus alumnas, a quienes quería profundamente y para las que tenía grandes planes, e inmediatamente se quedó dormida.

CAPÍTULO 2

INFLUENCIAS FEMENINAS

Cuanto más dura una disputa,
más lejos nos hallamos del final.

SAMUEL BUTLER

Por la mañana, Mercedes se levantó temprano y, mientras Eulogia le servía el desayuno, leyó la misiva que había llegado el día anterior con una invitación para ella y su tía al té que tendría lugar en la casa de los Cárcano, una de las familias distinguidas de Córdoba. En vida, sus propios padres habían sido sus amigos íntimos. Mercedes reconocía que muchas de las relaciones que tenía se las debía a ellos, que, si bien estaban muertos, le habían legado un lugar respetado entre los miembros de la sociedad y hasta un buen pasar económico. No tiraban manteca al techo, pero la buena administración de las propiedades dejadas por su papá, un médico progresista, les permitían vivir tranquilas a ella y a su tía.

Los Cárcano, sabiéndolas solas, siempre las tenían en cuenta; de hecho, las consideraban parte de la familia.

La madre de Ramón Cárcano organizaba esa tarde una tertulia. Desde su aristocrático comedor, doña Honoria apoyaba a su hijo con té de mujeres y almuerzos paquetes para que las damas cordobesas comentaran sus opiniones y se pusieran al tanto de los pasos que daban el gobierno y la Iglesia en la contienda que habían comenzado con la excusa

27

de la tesis de Ramón. Desde que su hijo presentó el proyecto, la pobre mujer –incondicional defensora del muchacho– no había tenido un minuto de paz: señoras que antes eran sus amigas ahora le daban vuelta la cara, mientras que de su lado sólo quedaban las parientes de liberales.

A Mercedes, que el día de la exposición de la tesis se había presentado en la universidad, como muchos otros cordobeses, todavía le parecía ver a doña Honoria mientras miraba a su hijo hablar en el estrado con los ojos llorosos, mitad por el orgullo y mitad por no entender de dónde había sacado su retoño esas ideas que lo metían en medio de la tormenta y que –ella esperaba– no lo terminaran alejando de Dios.

Mientras Eulogia le servía más café, Mercedes decidió que luego consideraría si asistiría o no al té. Todavía era demasiado temprano y necesitaba prepararse para ir al normal. Debía llegar dos horas antes porque esa mañana todas las docentes tendrían una reunión con *miss* Armstrong, la directora, y con *miss* Wall, la vice.

Una vez reunidas en el colegio, maestras y directivas discutieron el tema candente: la clase de gimnasia que *miss* Wall daba a las alumnas.

Su disciplina era terriblemente criticada. La pacata sociedad cordobesa consideraba inmoral ver moverse rítmica y violentamente a las niñas. En un principio, nadie había dicho nada, salvo chistes maliciosos y comentarios mordaces. Pero ahora, los opositores al colegio hablaban mal de la decencia de las estudiantes y los padres habían planteado su preocupación a la directora.

—Tal vez, si acortamos la duración de la clase... o si la hacemos menos intensa... Sería una solución —propuso Natalia Tapia, una de las maestras.

—No creo que eso remedie nada, las murmuraciones seguirían igual. El grupo comandado por Teresa García está ensañado —contestó Antonia Álvarez, otra de las docentes.

—Además, no hay que olvidarse de que el gobierno no permitirá ningún cambio radical en el programa escolar, por lo que debemos ser cuidadosas —dijo *miss* Armstrong.

—¡Pero algo tenemos que hacer! ¡Corremos el riesgo de que algún padre asustado saque a su hija del colegio! —objetó Natalia.

—¡Seguiremos con las clases normalmente, eso haremos! —exclamó *miss* Wall, porfiada.

—Pues a mí se me ocurre una idea —dijo Mercedes radiante—. ¿Y si dictamos la clase de una manera más... más privada?

—¿Privada? —preguntó *miss* Armstrong.

—Sí, privada. Aún nos queda desocupado uno de los cuartos del edificio. Sólo tiene unos pocos trastos inútiles. Podríamos acondicionarlo y dar allí espléndidas clases de gimnasia.

—Es una buena idea, Mercedes —dijo *miss* Armstrong y, entusiasmada, agregó—: Nos pondremos ya mismo en campaña. Tal vez hoy podamos comenzar a usarlo.

Las mujeres pusieron manos a la obra y en poco tiempo el nuevo gimnasio estuvo listo. Las clases de ejercicio no se harían más al aire libre, sino en la privacidad de ese lugar, protegiendo así el decoro de las alumnas.

Mercedes, luego de dictar sus clases de aritmética y castellano, observaba cómo *miss* Wall y las jovencitas saltaban con energía en el nuevo gimnasio. Se ejercitaban con los brazos levantados y las mejillas arreboladas. Y el deseo de hacer lo mismo casi la dominó. Le sobraban bríos, pero decidió guardar su compostura y también las fuerzas para concurrir al té al que estaba invitada esa tarde.

En su casa, preparándose para el evento, dudó. ¿Se pondría su mejor vestido, el de tafetán azul con encaje blanco, o sería algo exagerado para la ocasión? Recordó que muchas de las que irían al té pertenecían a lo más selecto de la ciudad. Y eso, sumado al comentario de su tía –«¿Para qué te lo has comprado, entonces?»–, la terminó de decidir.

Su elección recayó también sobre sus guantes y zapatos más elegantes. Y el peinado le llevó casi una hora; largos bucles rubios caían sobre sus hombros y dejaban al descubierto su frente y sus ojos marrones de arqueadas pestañas.

Decidió no usar polisón, no sería fácil soportarlo si pasaba varias horas sentada; pero sí apretó algunos centímetros más su corsé. La imagen que le devolvió el espejo le gustó. Su cintura se veía verdaderamente diminuta.

La pasó a buscar en carruaje su amiga Antonia, también maestra del normal.

Una vez en el coche, aprovecharon para ponerse al día con algunos temas que no hablaban durante las horas de trabajo.

—Antonia, ¿tienes alguna noticia del casamiento de tu primo Miguel? —preguntó Mercedes, pues el tema le interesaba. Los padres del muchacho eran compadres de Manuel Urtiaga.

—Parece que la boda de Miguelito está suspendida hasta nuevo aviso. No consiguen cura que la realice. Mi primo y mis tíos apoyan abiertamente a Ramón Cárcano y al colegio normal, y discutieron con el vicario Clara y con el padre Pedro.

—¿Y la familia de la novia qué dice? Porque por lo que sé —deslizó Mercedes—, ellos apoyaron al vicario en todo momento.

—Los padres de la chica andan de iglesia en iglesia buscando dónde celebrar la boda. Por lo pronto, en la Compañía de Jesús no se hará. El cura les ha dicho que él no aprueba ese casamiento porque Ramón es el novio y los padres, unos herejes.

—¡Qué barbaridad, pobres novios! ¡Y pensar que ya habían repartido las invitaciones!

Para cuando llegaron a la casa de la familia Cárcano, un grupo de quince invitadas transformaba el comedor en una revolución.

Primero pasaron revista a las noticias familiares:

—Mariquita no ha podido venir; ya nació su bebé —informó una de las señoras jóvenes.

—Sí, lo sé. ¿Y tus niños con quién quedaron? —le preguntó Antonia.

—Pues con tres sirvientas… Espero que estén vivas. No es fácil cuidar a ocho juntos.

—¿Y tu tía por qué no ha venido? —indagó doña Honoria, la madre de Cárcano.

—Usted sabe: su pierna no está bien —contestó Mercedes.

—Envíale mis saludos a María y dile que pronto iré a visitarla.

—¿Y usted, doña Honoria, cómo está con tantos vaivenes? —se interesó Mercedes.

—¿Yo…? ¡Bien! Es a mi pobre Ramón al que atacan. Pero bueno, la oposición que ejerció el vicario Clara ha terminado beneficiándolo en algunos aspectos. Su tesis sobre la igualdad de derechos entre los hijos ha sido reclamada desde todo el país, y aun del exterior, y la tradicional tirada de cincuenta ejemplares se ha ido a más de mil.

Encarnación, su mejor amiga, que la observaba, exclamó:

—¡Ay, Honoria, no te hagas la valiente! Que te he visto llorar dos veces esta semana.

—Es que mi hijo se merece esas lágrimas y más. ¡Mantener semejante beligerancia sólo por pensar diferente! —dijo con los sentimientos a flor a piel.

—Y a ti, Mercedes, ¿cómo te va en el normal? —preguntó doña Encarnación, ansiosa por conocer las últimas noticias al respecto.

—Las alumnas se comportan espléndidamente. Una es mejor que la otra. Pero la oposición de la iglesia nos perjudica mucho.

—Sé que doña Teresa García está llevando una verdadera guerra santa contra el normal. La veo todos los días… Cuando cae la tarde, se para frente al establecimiento y se pone a rezar —comentó otra de las presentes.

—¡Uf, y eso no es nada! Desde que se hizo la primera procesión en apoyo al vicario, la romería se repite cada tanto. El grupo de la García va por la ciudad con los estandartes y las cruces en alto y, frente al colegio, se quedan mirándolo y orando —dijo Mercedes.

—¡Ja! ¡Como si la Virgen les fuera a hacer caso a ellas en vez de a nosotras! —exclamó Encarnación, que se consideraba más católica que el papa mismo.

—¿Sabes qué me han dicho que hacen? ¡Que exorcizan el colegio! — reveló doña Honoria.

—¡Ridículo! —Se escandalizó Mercedes al pensar que alguien podía creer que en el lugar donde ella enseñaba estaba el diablo.

—¡Por Dios! ¿Cuándo terminará esto? —inquirió la anfitriona—. Si al final de cuentas, en esta lucha entre gobierno e Iglesia, los únicos perjudicados somos los cordobeses, que hemos quedado en el medio.

—¡Una vergüenza! ¡Toda la ciudad dividida! —dijo Antonia.

—¡Sí! No hace falta más que recordar cómo terminó la procesión que respaldó al vicario —agregó airada doña Honoria.

La primera peregrinación –hecha en apoyo al religioso tras haber sido suspendido, luego de que su pastoral se leyera en los altares y se pegara en las puertas de las iglesias– la llevó a cabo una multitud de señoras que llegó hasta su casa para entregarle las firmas reunidas en su adhesión. Pero el acto fue interrumpido por un grupo de mujeres de vida licenciosa que sí estaba de acuerdo con la tesis de la igualdad de los hijos extramatrimoniales. La disputa había terminado a los empujones y en una gresca vergonzosa, que, al recordarla, indignaba a las presentes.

—Muchachas, calmen los ánimos y piensen en algo mejor, si no se indigestarán. Aquí llega la torta de chocolate de doña Honoria —festejó Encarnación al ver ingresar a las criadas con los pasteles.

El grupo de señoras y señoritas reunidas estaba formado por esposas, madres y hermanas de liberales. Algunas, sin percatarse de serlo, también lo eran: sus ideas críticas a una sociedad tradicional y fanática las convertía en liberales, aun en contra de su propia decisión. Y esto les daba un papel trascendental en la sociedad, que, en su simplicidad, ellas no alcanzaban a entender.

Lo mismo sucedía con las del otro bando, las que mantenían en vilo a la ciudad con sus procesiones y cartas de quejas. Los hombres presentaban batalla desde sus recintos, pero las mujeres lo hacían en la calle, con las procesiones; en el mercado, haciendo las compras; enseñando en el normal o quejándose a la salida de misa, donde cada una buscaba adeptos para su causa. Hasta adoctrinaban a sus propias criadas, quienes, a su vez, iban y convencían a sus maridos.

La torta de chocolate, los alfajores y las yemas dulces quemadas recién hechas ya habían tranquilizado a las damas cuando irrumpieron en la sala cuatro caballeros: Ramón Cárcano, dos colegas de la universidad y Manuel Urtiaga.

Mercedes, al verlo, sintió el calor que recorría sus mejillas y la dejaba al rojo vivo. Deseó que no se le notara. Y sí... claro que podía pasar... Cárcano y don Manuel eran amigos y andaban juntos en política.

—Buenas tardes, señoras.

La respuesta fue un saludo bullicioso. Los tres muchachos buscaron a doña Honoria para exigir un trozo de confitura y don Manuel, al ver a Mercedes, fue moviéndose con disimulo hasta llegar a ella.

Ya a su lado, aprovechó la algarabía reinante para hablarle:

—Qué suerte encontrarla aquí, ya que no acepta ninguna de mis invitaciones.

—No me diga eso, usted sabe que no puedo ir a reuniones políticas. Compromete mi trabajo en el normal. Bastante me arriesgo viniendo a estos tés.

—Pues... si ir a reuniones políticas la compromete, no me quedará otra opción que visitarla en su casa, si usted me lo permite —dijo mirándola profundamente y acercándosele tanto, que cada uno pudo sentir el perfume del otro.

A Mercedes le pareció que el corazón le iba a estallar, sintió que su corsé le impedía respirar... pero qué agradable sensación la dominaba... No obstante, no estaba nada bien que un hombre se le aproximara tanto. Además, se suponía que el permiso de visita tenía que solicitárselo a su tía y no a ella. Así eran las cosas en la medrosa sociedad cordobesa. A veces, *miss* Armstrong y *miss* Wall no podían creer qué escasa era la libertad de las argentinas; sobre todo, si la comparaban con la de las norteamericanas. Le vino a la memoria la frase de *miss* Wall: «Aquí pasan del dominio absoluto del padre al domino absoluto del marido». Y también recordó que ella no tenía padre; por eso debía cuidar por sí misma de su honor e inmediatamente tomó el control de la situación.

—Don Manuel, no soy yo quien debe otorgarle el permiso para visitarme, pero no me opondré si quiere pedírselo a mi tía.

—Así lo haré, entonces. —La miró a los ojos y le preguntó—: ¿Usted quiere que la visite?

Mercedes, contra su voluntad, que a gritos le exigía decoro, contestó:

—Sí. —Y volvió a ruborizarse.

La sonrisa perfecta de Manuel Urtiaga mostró sus dientes blancos. Este asunto de que la niña fuera tan joven y tan formal complicaba las cosas. Pero ¿qué iba a hacer? La chica le gustaba... ¡y mucho! Por ella estaba dispuesto a dejar su soltería, que ya comenzaba a ser larga, a pesar de las muchas interesadas que lo rondaban.

Ensimismados como estaban, no escucharon el chiste de Ramón Cárcano, pero sí la carcajada general que los sacó de su arrobamiento y que sirvió para que Urtiaga se pusiera a elogiar los pasteles de doña Honoria:

—¡Por Dios, Ramón amigo mío —exclamó—, sírveme torta de chocolate antes de que la acaben, pues no se consigue ninguna igual en toda la ciudad!

Entonces, Mercedes respiró tranquila y se calmó: el hombre estaba entretenido en algo que no fuera ella misma.

CAPÍTULO 3

MALDITA POBREZA

El problema de ser pobre
es que te ocupa todo el tiempo.

WILLEM DE KOONING

Durante la mañana, Mercedes se dedicó a sus alumnas del normal, pero la imagen del doctor Urtiaga sonriéndole todavía la estremecía.

Gran parte de la jornada se la había pasado distraída, y cuando *miss* Armstrong entró al aula para averiguar cómo iban las niñas con las clases de declamación, se lo tuvo que preguntar dos veces, pues ella estaba en su propio mundo.

Las alumnas que asistían al colegio eran, en su mayoría, de buena posición social y económica; sólo unas pocas eran muchachas humildes. Aunque a todas las motivaba convertirse en maestras y enseñar, algunos de los temas en los que se preparaban las ponían a la defensiva. Hasta ese momento, el mundo pertenecía a los hombres. Por eso, no era fácil imaginar un universo diferente. ¿Cómo era posible –se preguntaban incrédulas– que a ellas, las chicas del normal, las que serían parte de la primera generación de mujeres formadas para enseñar, el gobierno les confiara la educación del país? En ciertas oportunidades, los temores las rebelaban y era común que en el aula los debatieran.

–Señorita Mercedes, ¿para qué declamamos tanto si, al

final, los únicos que dan discursos son los hombres? —había preguntado Angelita, una chica a la que profesoras y directoras encontraban brillante.

—Angelita, tú no tienes que estar pensando «Para qué estudio tantas cosas, si no voy a necesitarlas». Sólo aprende y estate lista, porque llegará el día en que usarás todo lo aprendido y esto será cuando menos lo esperes.

—¡Pero, profesora, que una mujer dé discursos es imposible!

—¡Algún día, las mujeres también daremos discursos! —dijo en un arrebato de pasión y optimismo.

—¿Usted lo cree de veras?

—¡Claro que sí! Pero para que llegue ese momento deben imaginarlo y soñarlo. Y esta aula es el lugar para hacerlo.

La sonrisa amplia de Angelita y su cara absorta, entreviendo algún radiante futuro, fue la mejor respuesta para Mercedes.

Enseñar a las niñas le gustaba, le entusiasmaba motivarlas. La emocionaba ser parte de los cambios que impregnaban el país. La mujer tenía un rol importante y aires de libertad perfumaban a Córdoba y se esparcían por el largo y ancho territorio.

Pero también, tenía que reconocer, le gustaba el aprendizaje cándido y esmerado de los niños pequeños.

Por eso, cuando volvió de su trabajo, hizo lo que siempre hacía. Luego de descansar y comer algo, partió hacia la casa de la familia Falcón, a la que visitaba de forma fiel tres veces a la semana.

Los Falcón eran once hermanos y ella se quedaba varias horas enseñándoles a leer y a resolver cuentas en una especie de escuela familiar.

Era un verdadero sacrificio hacerlo, pero lo disfrutaba

sobremanera. Ver los adelantos de los pequeños, ver cómo los más grandes ya leían, la llenaba de satisfacción. Difícilmente de otro modo ellos hubieran tenido la oportunidad de aprender a leer. La familia era pobre y algunos de los niños ya trabajaban en labores sencillas fuera de la casa.

Esa tarde, tomó el tranvía a caballos y en menos de quince minutos estuvo con ellos. La morada era humilde; y a los hermanos se les sumaban siempre dos vecinos.

Cuando llegó, la madre y los niños la recibieron.

—Señorita Mercedes, qué gusto verla, pensé que estaba enferma... porque como no venía y usted nunca falta... —comentó la señora Falcón, una mujer sencilla, ajada de tanto quehacer y chiquillos. Las horas que, gustosa, Mercedes gastaba en enseñarles a sus hijos, ella las aprovechaba limpiando en alguna casa adinerada de la ciudad. El padre de los más grandes había muerto y el de los últimos dos había desaparecido.

—Buenas tardes, señora Falcón... Se me hizo un poco tarde, discúlpeme. Ya veo que los niños están esperándome —dijo al observar a varios de ellos con sus cuadernos abiertos sobre la mesa.

—No tengo nada que disculpar. Usted sabe que yo siempre le estaré agradecida por lo que hace por nosotros. Ahora me marcho, me espera una casa por limpiar. Volveré en cuatro horas, como siempre.

—Vaya nomás. Yo aquí tendré en orden a la tropa —aseveró tocándole la cabeza al más pequeñín.

Marcos, el más chico de los Falcón, que tenía cuatro años, después de garabatear en el papel lo que Mercedes le daba para hacer, solía quedarse dormido en su regazo, mientras sus hermanos se dedicaban a las sumas y a la lectura.

—A ver, mis alumnos predilectos, ¿han hecho las tareas

que les he dejado? —preguntó con una sonrisa; los niños la enternecían.

—¡Síííí! —contestaron juntos casi todos.

—¡Pues yo no he podido hacerlas! —exclamó Susi, la mayor, una niña de catorce años, de armoniosas facciones, cabello dorado y hermosos ojos pardos.

Mercedes la observó; su belleza exótica siempre la impactaba, pero esa tarde también lo hizo el sombrero excesivamente caro que contrastaba con su ropa modesta.

—Susi, ¿qué sucede? Antes eras mi mejor alumna. Y ahora, que estás en el momento más importante, has perdido las fuerzas.

—No he tenido tiempo. El trabajo de planchado que hago en la casa de los Alcorta se lleva todas mis horas.

—Ay, Susi, tienes que hacer un esfuerzo. Es importante que sepas leer y escribir bien, y que puedas resolver todos los problemas de aritmética, que, en realidad, son los que se te presentarán cada día —reflexionó con pena la maestra.

Mercedes conocía lo que era un secreto a voces: que el hijo de los Alcorta, muchacho de vida licenciosa, tenía una relación amorosa con la joven. Seguramente, el romance era sólo un jugueteo para él, porque un vínculo entre dos personas de tan diferentes clases sociales era imposible. Tal vez el muchacho ni siquiera supiera la verdadera edad de Susi; su voluptuosa figura hacía suponer que era más grande.

La niña le respondió:

—Es que me parece que estudiar tanto no me servirá de nada. No creo que el estudio me pueda ayudar a comprar un sombrero como este —dijo señalando el que acababa de sacarse y había puesto sobre la mesa.

—El estudio te puede servir para comprarte un bello sombrero como ese y para conseguir muchas cosas más en tu vida. Como, por ejemplo, que nadie te engañe, y que logres hacerte respetar.

—¡Uf! ¡Ya parece mi madre! —exclamó con un mohín de fastidio que hizo fruncir sus labios rojos y carnosos.

—Mira, un pajarito me ha contado que alguien de la casa Alcorta te hace regalos. Pero tienes que ser sabia y distinguir entre los que te queremos bien y los que se quieren aprovechar de ti. —Sin darle tiempo a réplicas, añadió—: Y ahora, manos a la obra, ponte a hacer la tarea que me debes, mientras yo le doy ejercicios a tus hermanos —propuso Mercedes debido a que los varones más pequeños comenzaban a revolucionarse ante la inactividad.

La pequeña Susi la preocupaba. Pero qué podía hacer ella, salvo darle algunos consejos. Se apenaba al ver cómo casi nadie consideraba necesario que las mujeres se educaran. Parecía que lo máximo que se esperaba de ellas fuera que aprendieran bordado y consiguieran un marido. Y que las más esmeradas visitaran un poco más a menudo las bibliotecas. Pero allí terminaban los buenos deseos.

«Algún día esto cambiará. Mientras tanto, debo hacer mi parte y poner mi granito de arena», se repitió pensando en el trabajo que realizaba en el normal. Y ya no pudo seguir con sus cavilaciones, pues los niños exigían toda su atención a los gritos.

CAPÍTULO 4
IMAGINACIÓN Y MALDAD

Lo peor que hacen los malos
es obligarnos a dudar de los buenos.

JACINTO BENAVENTE

Ese jueves, como todas las tardes, poco antes de caer el sol, doña Teresa García se hizo llevar por su cochero. Una criadita la acompañaba. Esta vez no hizo sus oraciones frente al colegio, sino contra la pared de la vieja construcción.

Y le pidió a Dios que le diera una señal de que la escuela terminaría cerrándose. Luego metió el dedo pulgar en su boca, e impregnándolo de saliva, dibujó la señal de la cruz en los muros de la casona. El normal estaba lo suficientemente endemoniado como para hacer uso de todas las armas espirituales que estaban a su alcance. Había escuchado decir que a la medianoche se veían luces sobrenaturales en el extremo de la cúpula del edificio. Al pensarlo, un escalofrío le recorrió la espalda y decidió que ya era hora de marcharse. Se subió a su carruaje y le indicó al cochero:

—A casa, Celestino. ¡Ya mismo!

—¡Como mande, señora! —respondió el hombre antes de azuzar a los caballos y partir de inmediato.

Al mismo tiempo, a un par de cuadras de allí, Mercedes cerró los postigos de una de las ventanas de la sala de su casa y, cuando estaba por cerrar los de la otra, alcanzó a ver con la última claridad de la tarde la figura de Susi cruzando la calle. La reconoció; llevaba el mismo sombrero caro, un poco chillón, que le había mostrado esa semana. ¿Qué hacía por allí? ¿A dónde iba tan tarde y sola? De su trabajo en casa de los Alcorta se retiraba temprano y la última misa había terminado hacía rato.

Cerraba el tercer postigo cuando vio pasar al señorito Alcorta en su carruaje. El coche se estacionó cerca de la esquina. Mercedes se puso en puntas de pie para corroborar desde su ventana lo que sospechaba: Susi, mirando con sigilo a su alrededor, se metió en el vehículo, que partió raudamente.

Mercedes dudó unos instantes, pero, recordando la carita de Susi de algunos pocos años atrás, cuando la conoció y comenzó a enseñarle, se decidió. Buscó un chal abrigado y salió apurada a la calle. Intentaría hablar con la niña; esa relación acabaría por llevarse su honor y toda posibilidad de estudio. Y peor aún: terminaría embarazada, criando niños sola, como su madre.

Ya en la puerta, miró el cielo. El sol se ocultaba; no le importó.

Sabía dónde –según decían– el mozo Alcorta llevaba a sus mancebas, y el departamentucho no estaba lejos. Tal vez llegara a tiempo antes de... No quiso ni pensarlo, sólo se persignó y dijo una oración espontánea, como las que profería *miss* Wall. No creía que Dios se fuera a enojar por formularla de esa manera, aunque el padre Pedrito asegurara lo contrario.

Apuró el paso en el intento de que no anocheciera antes de que ella llegara. Pero fue en vano; la última luz de la ciudad de Córdoba se extinguió cuando aún le faltaba una cuadra.

Frente a la puerta verde de la desvencijada construcción,

vio el coche estacionado con su cochero dentro. Se acercó a la sucia escalinata de la vivienda, y escuchó voces. Una era la de Susi, estaba segura. Con fuerza, asestó un golpe en la puerta, que se abrió más rápido de lo que esperaba.

Apareció un joven como de su edad, rubio, de ojos azules, impecablemente vestido, que la miró sorprendido.

—Soy la señorita Mercedes del colegio normal. Deseo hablar con Susana. ¿Podría avisarle, por favor?

—No creo que sea buena idea hablar con ella. Y... así que aquí tenemos a una de las maestras del normal... La verdad... no la había imaginado tan joven y bonita. Mi madre y sus amigas por poco la pintan con cuernos y cola —dijo cruzando los brazos y apoyándose en la puerta.

—Por favor, ¿va a llamar a Susi, o no?

—No sé qué quiere con ella, pero usted me parece algo entrometida. ¿Acaso no le bastan los líos que ha traído su colegio, que ahora viene por más? —La miró de arriba abajo con desparpajo. La luz de la calle mostraba con claridad su figura y, al posar su vista en el rostro de Mercedes, continuó—: Aunque usted es tan bonita, que creo que le perdonaré la intromisión si acepta mi invitación —le dijo mientras la tomaba del brazo y se acercaba a ella.

Mercedes se turbó. Tal vez no había sido buena idea presentarse allí. Intentó quitarse la mano que la sostenía con fuerza y, cuando lo estaba haciendo, un carruaje pasó por su lado. Ella no le prestó atención; todo su empeño estaba puesto en soltarse de la mano que la aprisionaba.

Pero los ojos de Teresa García, desde el interior del coche, sí prestaron atención. ¿Acaso la Providencia divina le daba la oportunidad de constatar lo que sospechaba? ¿Acaso la maestra era una mala mujer, como ella intuía? Se fijó mejor y pudo ver al muchacho Alcorta tomándola del brazo, sonriéndole, con el rostro a sólo centímetros. ¡Y en la puerta del cuchitril donde llevaba a sus chinitas!

El vehículo de la García ya había doblado en la esquina cuando Mercedes logró zafarse de un tirón de Efraín Alcorta, que reía divertido.

—¿Qué pasa? ¿Se le acabó la valentía, maestra?

—Es usted un insolente irrespetuoso. Ya me lo habían dicho, pero ahora yo misma lo he constatado. Y no crea que le será tan fácil engañar a Susi... Ya le diré la clase de hombre que es usted. Ella es sólo una niña.

—¿Ah, sí? ¡No me diga! ¿Acaso su madre vendrá a buscarla? —le preguntó sarcástico y, sonriendo, cerró la puerta verde de un golpe.

Temblando como una hoja por la alteración que le produjo el mal rato, Mercedes dudó entre volver a llamar o dar media vuelta e irse. Su buen tino la hizo optar por lo segundo y comenzó a caminar rumbo a su casa.

Al verla llegar, su tía exclamó:

—¡Por Dios, niña! ¿Dónde te habías ido? ¿Es que no entiendes que no debes hacer sola ni una cuadra, y menos anocheciendo? ¿Quieres que todo el mundo hable mal de ti... o peor todavía, que te pase algo malo? ¡No sé por qué no usas una dama de compañía!

Cuando doña María se enojaba por actos temerarios como el que acababa ocurrir, la amenazaba con contratarle una chaperona.

Mercedes, inquieta aún por la discusión, no respondió. Y su tía le preguntó:

—¿Acaso has visto al diablo? Mira la cara que traes.

La muchacha le relató una parte de lo sucedido pero se abstuvo de brindarle ciertos detalles; de lo contrario, podría matar a su tía allí mismo, de un ataque al corazón.

46

La mujer, enojada, al fin la interrumpió:

—Acábala de hacerte la salvadora de los pobres e ignorantes o terminarás metiéndote en problemas.

Y minutos después, viendo que la preocupación de Mercedes continuaba, se acercó con un mate y le dijo:

—Toma, Merceditas, a ver si te animas un poco. Tienes que domar ese buen corazón... Eres igual a tu padre. Pero, por suerte, yo estoy aquí para cuidar de ti.

Esa noche, Mercedes se durmió preocupada por Susi y rogando por que nadie la hubiera visto en la calle —¡y a esa hora!— con el tipejo de Alcorta.

La semana fue tranquila dentro del normal, pero no fuera de allí. La ciudad entera seguía debatiendo sobre la separación entre Estado e Iglesia, enseñanza religiosa o laica y tradicionalismo o liberalismo.

Las reuniones políticas habían abundado durante esos días. Y el colegio estaba en boca de todos. A falta de una de su propia confesión, las dos maestras norteamericanas protestantes entraban a la iglesia de la Compañía de Jesús para pedirle a Dios la fuerza necesaria que les permitiera enfrentar lo que vivían. *Miss* Wall le había dicho a Mercedes: «Al fin y al cabo, las dos religiones son cristianas. ¿O ni eso entienden los cordobeses?».

Don Manuel había estado de lo más ocupado. La universidad se encontraba al rojo vivo y las reuniones celebradas en sus claustros, también; pero, en medio de los acalorados debates, el rostro de Mercedes se coló un par de veces entre sus pensamientos; y hasta halló tiempo para presentarse en la casa de la joven y hablar con su tía.

Buscó un horario en que la señorita Castro estuviera dando clases, ya que prefería tener la conversación a solas con la mujer. Cuando golpeó en la casa, la sorpresa de la anciana fue grande. Su amiga, doña Honoria de Cárcano, le había presentado al doctor Urtiaga a la salida de misa, pero no habían pasado de un mero saludo. No obstante, le bastaron sólo unos minutos de charla preliminar para imaginar cuáles eran sus intenciones. El hombre venía por Mercedes. Era indudable. No podía haber otra razón.

Y no demoró mucho en hacérselo saber.

—Señora María, se preguntará qué hago aquí —dijo subestimándola.

—No tanto. Creo haberlo adivinado —sonrió pícara la mujer.

—¿Acaso su sobrina le comentó algo? —preguntó esperanzado.

—No, Mechita no me ha comentado nada. Pero es joven y bonita. Y tanto ella como usted están en edad casadera.

—Bueno, entonces no necesitaré darle muchas explicaciones: su sobrina me interesa y deseo visitarla, si usted me lo permite, claro está.

—¿Y ella qué dice? —inquirió doña María.

—Se lo he preguntado y no tiene problemas en recibirme, pero me pidió que antes lo hablara con usted.

—Vaya, vaya. No me había contado nada. Es que mi sobrina siempre ha sido muy reservada e independiente. ¿Y a usted, don Manuel, no lo asusta esa independencia? —decidió preguntarle sin rodeos.

El hombre esbozó una sonrisa y lo primero que vino a su mente fue: «Será independiente pero es sólo una joven». Y luego reconoció que a él le gustaba que así fuera. A diferencia de otros hombres, no lo atemorizaba que ella ganara su propio dinero. No sentía que tener a su lado una mujer así amenazara su hombría, sino todo lo contrario.

—No me asusta. Su sobrina me agrada, justamente, porque es muy valiente.

—¿Usted está al tanto de que mientras dure su contrato como maestra ella no puede casarse? Desde el principio, esa fue la condición que impuso el gobierno.

—Sí, lo sé, pero es algo fácil de solucionar: o la maestra deja el trabajo o el futuro marido espera a que termine el contrato.

—Muy bien, creo que tiene en claro todos los puntos. En ese caso, el permiso está otorgado. Me parece que los martes y los jueves, de dieciocho a diecinueve horas, será un buen momento para la visita.

El doctor Urtiaga disimuló su disgusto. Había aceptado cumplir con todos los protocolos, pero esto –que le fijaran días y horas– era demasiado. Él ya no era un muchachito. Sin embargo, no deseaba arruinar la relación con la mujer antes de empezarla, y únicamente contestó:

—Así se hará, doña María, como usted mande. Aunque creo que nos veremos antes, si Dios quiere. Finalmente, el casamiento de Miguel y Francisquita se celebrará el sábado.

—Tiene razón, don Manuel, allí nos veremos... Parece que los pobres novios al fin han conseguido cura que los case; recemos para que la ceremonia salga bien. Ese día, los ánimos estarán caldeados y las principales familias de ambos bandos se encontrarán presentes.

—Así es: ¡roguemos! —le contestó y, dándole un beso en la mano y despidiéndose con palabras galantes, se retiró.

Ya en la calle, se sintió satisfecho por lo que había hecho. Era una elección sensata: la muchacha era bonita, inteligente y tenía una personalidad arrolladora.

Cuando Mercedes llegó del trabajo y doña María le comentó la novedad, los nervios le revolvieron el estómago. Pero durante la tarde, su tía la vio reírse sola un par de veces, absorta en sus propios pensamientos.

CAPÍTULO 5
A PURO CANDOR

Cuando mejor es uno, tanto más difícilmente
llega a sospechar de la maldad de los otros.

CICERÓN

Urtiaga entró apurado al normal. Las últimas noticias
recién llegadas de la capital lo llevaban intranquilo y ensi-
mismado. Cargaba en sus manos un paquete pesado. «Seguramente son libros», pensó cuando lo recibió junto con la
correspondencia enviada para él desde Buenos Aires. El bulto
tenía como destinataria a *miss* Armstrong y era remitido de
parte del señor Sarmiento.

Pero al cruzar el patio del colegio y divisar desde allí el
aula de Mercedes, y a ella al frente de la clase, no pudo evitar
detenerse unos segundos para observar discretamente desde
una de las ventanas del salón. La muchacha les hablaba a
sus alumnas con entusiasmo y movía con gracia sus manos;
el curso entero la seguía absorto.

El sonido melodioso de su voz y el perfil de su nuca, que
el rodete dejaba al descubierto, habían captado íntegramente
su atención cuando ella pareció percatarse de su presencia
hasta que, dándose vuelta, lo descubrió. La mirada intensa
en la que se sumergieron hizo que Mercedes perdiera toda
coherencia en la lección que les daba a las chicas y que él, de
un respingo, decidiera seguir su trayecto mientras reconocía

que la ansiedad se apoderaba de su ser por la llegada del sábado y el famoso casamiento. Pensó que probablemente esto le ocurría por estar poniéndose viejo.

Mercedes, frente al arrebato que sentía, el que ningún muchacho antes había logrado provocar en ella, asumió: «Es porque don Manuel es un verdadero hombre. ¡Pero no deja de ser una locura que me ponga así ante su cercanía!».

Al llegar al despacho de la directora, Urtiaga golpeó y esperó.

Cuando la joven le abrió, se saludaron con cortesía. *Miss* Armstrong estuvo a punto de hacerlo entrar pero decidió que, para evitar suspicacias, lo mejor sería no quedarse solos en la misma habitación.

—Es para usted, señorita Armstrong —dijo. Y explicó—: Esta mañana me llegó una encomienda de papeles despachados por el presidente y, entre ellos, venía este paquete. Es un material que le envía el señor Sarmiento y que, según me explican, usted está esperando.

—¡Oh, gracias, muy amable! Son libros. Es tan difícil conseguir buen material en castellano, que, al final, termino traduciendo todo. Serán de gran ayuda. Pero, cuénteme, don Manuel, usted que tiene noticias directas del presidente, ¿cómo se encuentran las cosas en Buenos Aires?

—En la capital todo está perfectamente; no obstante, el general Roca se manifestó preocupado por una nueva carta pastoral emitida por el prelado de Salta.

—¿Otra pastoral? ¿Y qué dice? —preguntó inquieta. Recordar la del vicario Clara le hacía doler la cabeza.

—La ha escrito el obispo Rizo Patrón en apoyo al vicario Clara, y en ella insiste en la prohibición de que los católicos eduquen a sus hijos en colegios normales. Sostiene que la iglesia los seguirá considerando anatema.

—¡Ay! ¡Eso, indefectiblemente, significa que los problemas continuarán!

—Así es, aunque el presidente me ha dicho que irá hasta las últimas consecuencias, que suspenderá también al religioso de Salta y que separará de sus puestos a los de Santiago del Estero y de Jujuy. Por ahora, está esperando un dictamen del procurador general.

—¡Qué terrible! Todo un país dividido. ¡Esto no acaba nunca!

—Acabará, *miss*, acabará. Tarde o temprano, Argentina tendrá que modernizarse porque eso es lo que necesita la nación. Quédese tranquila, ya vendrán tiempos mejores. Ahora, si me disculpa, continuaré mi recorrido. Tengo que contestarle al señor presidente de manera urgente.

—Vaya nomás... Y nuevamente, muchas gracias por las molestias —dijo señalando el paquete.

—No es ninguna molestia serle útil; es un placer. ¡Ah! Y, por favor, déjele mis respetos a la señorita Castro.

—Se los daré —prometió con una sonrisa casi cómplice.

Urtiaga salía por la puerta del colegio cuando Mercedes, intrigada por la presencia del emisario, apareció en el gabinete de *miss* Armstrong.

—Disculpe, *miss*, ¿está todo bien? Porque con tanto desacuerdo, ya tiemblo ante la visita de un hombre de la política.

—Sí, querida, todo está bien, aunque...

En pocas palabras la directora le contó sobre la delicada situación política y religiosa que vivía el país en esas horas por la reciente carta pastoral. Y también que, al fin, habían llegado los libros que tanto necesitaban.

Mercedes, entre preocupada e indignada ante esta nueva agresión a los colegios normales, retornó a su clase y se dedicó a corregir cuadernos, tratando de encontrar paz mientras sus alumnas se consagraban en cuerpo y alma a resolver cuentas.

El silencio reinaba en el aula cuando escuchó voces desde la calle. Eran las mujeres de Córdoba. ¡Otra vez en procesión! Desde la primera, realizada el domingo siguiente a la ponencia de la tesis de Cárcano, no habían parado.

Oyó las voces rezando un avemaría. Se acercó más a la ventana del aula y alcanzó a dar oído a una reprensión extraña al demonio. ¡Estaban exorcizando el colegio! ¡Con todas las maestras y estudiantes dentro!

Indignada, decidió que ya era suficiente. La discusión entre Estado e Iglesia iba más allá de lo soportable. Si ambas instituciones no se ponían de acuerdo, terminarían destruyendo el sueño de una educación para todos los cordobeses; peor aún: para todos los argentinos, ya que el país entero tenía puestos los ojos en Córdoba por la contienda.

Se paró en seco y dejó el aula y sus alumnas.

El disgusto y la rabia la recorrían por completo y la llevaban a pasos desaforados por la galería; tanto que, al llegar al gabinete de *miss* Armstrong, pasó de largo y tuvo que volverse. Frente a la puerta, sus nudillos golpearon con fuerza hasta quedar rojos. No le dolió; el enojo era grande.

La directora la hizo pasar.

—Sí, ya sé, Mercedes, no me digas nada. Me imagino lo que te sucede.

—Esto tiene que acabar. De lo contrario, terminarán cerrando el colegio que tanto sacrificio nos ha costado.

—¿Pero cómo?

—Tengo una idea.

—Te escucho.

—¿Por qué no se presenta personalmente ante monseñor Matera, que en estos días se encuentra en Córdoba —dijo refiriéndose al representante papal— y le explica que el propósito de la escuela normal es ofrecer el adelanto de la educación, que no tenemos intenciones ocultas, que usted y cada maestra damos nuestra palabra de que así es?

La mujer la miró atentamente y le contestó:

—He pensado varias veces en presentarme ante él y explicarle nuestras motivaciones. Incluso, proponerle que enseñemos en el normal el catecismo católico. ¡Pero no querrá atenderme!

—¡Claro que sí, pues no irá sola! La acompañaremos nosotras, las maestras católicas de la casa y, también, las más distinguidas señoras de Córdoba, aquellas que se pasan la mitad del día en la iglesia de la Compañía.

—No dudo de que así nos atendería y escucharía... pero ¡¿cómo conseguirás semejante cosa?!

—Déjelo por mi cuenta. Las mujeres vendrán. Ellas también están hartas de ser rehenes en esta lucha de poder.

—Si logras convencerlas y me acompañan, iré ante Matera y le hablaré con el corazón. Con tal de que nos apoye, te digo otra cosa: si es necesario, ¡le propondré dar catequesis en el normal! No perdemos nada con intentarlo.

—*Miss* Armstrong, tenga valor, a este país lo sacamos adelante las maestras, a este país lo unimos las mujeres... ¡enseñando! —exclamó exaltada Mercedes.

La norteamericana le sonrió conmovida. Le daba ánimos escuchar los ideales de su maestra y recibir su apoyo incondicional.

Mercedes tomó sus faldas con arrebato y salió a paso impetuoso por la galería. El día sería agitado; tenía mucho por hacer.

Durante los recreos habló con las maestras que, gustosas, recibieron la propuesta. Ellas apoyarían y acompañarían a *miss* Armstrong.

—¿Cómo es que has tenido semejante idea? —le preguntó Antonia.

—Pues, ¿qué quieres? Esta guerra ya es insoportable.

—¿Y cuándo iremos?

—Lo intentaremos el lunes. Paula, que tiene a su hermano en el seminario, se encargará de pedirle a su madre que concrete la cita.

El entusiasmo las cautivaba, vislumbrar una solución para cumplir el sueño de un colegio para todos les daba nuevos bríos. Reían y bromeaban mientras se interiorizaban acerca de cómo llevarían a cabo el plan.

Por la tarde, ya en su hogar, Mercedes habló abiertamente con doña María:

—Necesito su ayuda, tía. Necesito que me acompañe a ver a algunas de esas amigas y vecinas que pasan más tiempo en misa que en su casa. Yo sé que muchas de ellas no están en desacuerdo con el colegio y que hasta tienen ganas de mandar a sus hijos, pero que le temen a la crítica. Hemos pensado que si le proponemos a monseñor Matera impartir catecismo en el normal... ¡él no nos podrá negar el apoyo!

—¡Vaya... que te buscas los casos difíciles! ¿No te dije yo que trabajar en esa escuela sería un dolor de cabeza? ¡Pero qué otra cosa puedo hacer, sino ayudarte! Vamos, iremos ya mismo a la casa de María Suárez. Ella nos llevará con las demás.

Toda la tarde la pasaron de aquí para allá; cada casa era un mundo, como su tía siempre decía. Hubo que tomar mate con unas, cuidar bebés con otras, hacer de paño de lágrimas y prometer devolver el favor.

Pero, al fin, el propósito se cumplió: las mujeres apoyarían la iniciativa. El hombre, ante la insistencia, no había podido negarse a recibir a tan distinguida comitiva.

Esa noche, tía y sobrina cayeron exhaustas, pero felices. Era viernes y el lunes por la mañana un grupo de señoras de las encumbradas familias cordobesas y las maestras católicas del normal acompañarían a *miss* Armstrong para convencer a monseñor Matera de que quitara el anatema que pesaba sobre la casa de estudio.

Ya en su cama, antes de dormirse, tuvo un último pensamiento: recordó que al mediodía siguiente se celebraría el casamiento de Miguel Álvarez y que ella... ¡no había pasado por la modista a buscar el vestido que estrenaría en la fiesta! A primera hora debía solucionarlo.

Por la mañana, se levantó y, antes de partir a buscar el atuendo para la boda, tuvo que soportar las reprimendas de su tía.

—Ya te he dicho, Mercedes, que no es normal la vida que llevas. Una chica de tu edad debería interesarse más en lo social, en los vestidos, en los... muchachos.

—Pero, tiíta, usted siempre me inculcó que es de frívola pensar en esas cosas y ahora... ¡escuche lo que me dice!

—¡Bueno, es que tú te has pasado para el otro lado! ¡Mira que olvidarte del vestido! ¿Y si la modista no lo tiene terminado porque necesitaba otra prueba?

—¡Pues me pongo otro y listo! —dijo, y agregó con dulzura, tomándola de la mano—: Tía, usted sabe que mi prioridad no son precisamente los vestidos. Sabe cuál es mi sueño. Conoce la carga de mi corazón.

María la miró. Claro que lo sabía. Conocía la pasión de su sobrina cuando hablaba de enseñar, cuando hablaba de cambiar al país con las escuelas. Lo había visto el día anterior cuando la acompañó durante el largo recorrido que realizó para organizar el encuentro entre *miss* Armstrong y monseñor Matera. El ardor y el entusiasmo le arrebataban el corazón.

Pensó: «Ojalá Diosito la ayude». Ella no había elegido tarea fácil. Casi todos los maestros eran varones y, encima, ¡trabajar en un colegio del gobierno! Quién podía saber cuánto durarían esas escuelas, si la enseñanza siempre había estado en manos de los curas. Miró a su sobrina por la ventana, que ya iba camino a la modista. Pidió al cielo que la protegiera y que le diera un buen marido. Manuel Urtiaga le caía bien. Y en breve lo verían.

El casamiento de Miguel y Francisquita tenía a gran parte de Córdoba revolucionada. La familia de la novia había apoyado abiertamente al vicario Clara y, además, estaba emparentada con el doctor Nicolás Berrotarán, quien había sido removido por el gobierno de su cátedra universitaria –al igual que dos profesores más– por exponer su apoyo al eclesiástico desde los claustros.

Los parientes del novio, liberales acérrimos, e íntimos amigos de la familia Cárcano, apoyaban a Ramón, al colegio normal y al nuevo movimiento político que se respiraba. El romance había comenzado antes de que se desatara la parafernalia en la que Córdoba se había metido, y ahora los pobres novios debían enfrentar la situación como podían.

A los padres de la muchacha les había costado encontrar una iglesia y un cura que los casara, pero moviendo influencias, al fin, lo habían logrado. Su madre había dicho: «Cada vez extraño más a fray Mamerto», refiriéndose al difunto obispo Esquiú, antecesor de Clara, siempre de espíritu moderador y pacifista, que, tras recibir las primeras críticas de las mujeres de la alta sociedad por la llegada de las maestras protestantes norteamericanas, les había contestado: «Si bien pertenecen a una rama disidente del cristianismo, sin duda es menos malo que si fueran ateas».

Para el mediodía y entre apurones, Merceditas estuvo lista y enfundada en el vestido verde agua encargado para la ocasión. Las mangas plisadas, la caída suave de la tela y el corsé apretado le otorgaban una elegancia pocas veces vista. Al cabello lo llevaba en un gracioso recogido del cual escapaban adrede algunos bucles rubios.

Su tía, al contemplarla, exclamó:

—¡Pues a que hoy se nos desmaya don Manuel!

Mercedes sólo sonrió.

A las doce en punto estuvieron en la capilla de San Francisco, junto con los demás invitados y curiosos de la ciudad. La ceremonia fue corta. Los enamorados se miraron felices todo el tiempo, como si nada hubiera hecho peligrar su unión.

Por primera vez, Mercedes pensó con ilusión en el matrimonio. Se asustó al sentir que algo estaba cambiando en su interior; no olvidaba que ella se debía al colegio y a sus alumnas y que, entre los requisitos para ser maestra, estaba el de no casarse mientras ocupara el cargo.

En cuanto la liturgia terminó, partieron hacia la residencia de la novia, donde se haría el social. La casona, ubicada en la calle principal de la ciudad, contaba con tres patios, como era común en las viviendas de las familias ricas; al primero daban las habitaciones más importantes de la casa; el segundo se encontraba rodeado por la cocina, pieza de lavado y cuartos de la servidumbre; y el tercero servía de cuadra y cochera.

La fiesta sería en el primero de los patios. Allí se habían armado largas mesas con manteles blancos y jarrones llenos de flores. En el segundo, almorzarían los niños y las criadas. Y en el tercero, ya casi a punto, aguardaban los costillares, corderos y cabritos dispuestos en las estacas colocadas oblicuamente sobre el fuego suave. Los chinchulines y las mollejas que humeaban sobre una parrilla más pequeña y las ensaladas que le daban color a la mesa contigua también esperaban ser servidos.

Cuando Mercedes ingresó al patio, pudo sentir la elevada temperatura del ánimo de los presentes. Los padres de la novia y demás tradicionalistas observaban desde un sector de las mesas a los padres del novio, liberales y defensores de las nuevas ideas, que estaban en el otro. Todos se movían al compás de un sigilo velado.

Mercedes, que caminaba del brazo de su tía, advirtió, bajo el algarrobo, la figura austera de doña Teresa García, tía de la novia, y, a unos pocos metros, la de Ramón Cárcano, amigo íntimo del novio. Pensó: «Dos fuegos, una pequeña chispa y arderá todo».

La gente fue ubicándose y, entre tímidas charlas, el almuerzo comenzó. Cada tanto, era interrumpido por algunos jubilosos «¡Vivan los novios!», que bajaban momentáneamente la tensión del ambiente.

Pero al cabo de una hora, el exquisito y abundante asado, y el buen vino, convirtieron a los guerreros de ambos bandos en sacrificados penitentes, que pagaban sus excesos con una sosegada sobremesa de pastelitos de dulce de cayote y té de menta, ya completamente alejados de las luchas políticas.

Llegada esa instancia, Manuel Urtiaga consideró que era tiempo de ir tras su presa y se acercó a Mercedes, que estaba junto a la mesa de dulces, sirviéndose el postre.

De lejos, doña Teresa los descubrió y se quedó observándolos. Y en su mente se enraizó una idea: «¡Vaya, vaya...! A la maestra sí que le gusta jugar».

Urtiaga, ya junto a Mercedes, la admiró embelesado. La niña estaba encantadora.

—Señorita, ¡está usted hermosa! —exclamó contemplándola fijamente, y luego le besó la mano.

—Don Manuel, qué gusto verlo —confesó ella, inclinándose en el saludo.

—Sabía que la encontraría aquí, lo comentamos con su tía el otro día, en su casa.

Los pómulos altos y blancos de Mercedes se encendieron. No pudo evitarlo.

—Sí, me lo dijo.

—Pues esta semana iré a visitarla. El permiso ya fue concedido y debo aprovechar el tiempo porque no sé cuándo tendré que volver a Buenos Aires.

—¿Se irá pronto? —preguntó preocupada.

—No lo creo, el presidente quiere que me quede algún tiempo más. Intuyo que nos alcanzará para conocernos en profundidad.

Otra vez, sus mejillas al rojo vivo. ¡Qué directo era! Siempre iba más rápido de lo que ella estaba preparada. Y esos ojos grises que, al observarla, la partían. No le alcanzó a contestar; él habló de nuevo.

—No se avergüence, Mercedes. Usted me gusta y eso no es ningún pecado. Siéntase en confianza conmigo, déjeme conocerla y conózcame. —Al concluir la frase, una duda se le clavó en su aplomo: ¿y si ella no estaba interesada en él? Tal vez por eso no le había contado nada a su tía y ahora daba tantos rodeos. ¿Y si le parecía demasiado viejo? A su lado, la chica era verdaderamente muy joven. Él le llevaba casi dieciocho años… Tras el debate interior, continuó—: Mercedes, ¿a usted le interesa una relación conmigo?

Ella no alcanzó a contestarle. Mientras charlaban y admiraban el anillo de compromiso, tres muchachas y la novia se acercaron a la mesa de postres e interrumpieron la conversación.

—Don Manuel, ¿cómo se encuentra usted? —preguntó la desposada—. ¿La está pasando bien?

—¡Muy bien! Pero tanta belleza junta opaca el sol del mediodía —dijo mirando a las cinco mujeres. Luego exclamó—: Francisquita, ¡es usted la novia más bella de la ciudad!

Las jóvenes festejaron el comentario con sonrisas y algunas gentilezas y la recién casada le contestó:

—Gracias, don Manuel, es un verdadero cumplido viniendo de alguien como usted, acostumbrado a la alta sociedad porteña.

Las amigas de Francisquita se dedicaron a los pastelillos y, cuando don Manuel estuvo a punto de continuar la charla con Mercedes, los pasos decididos de doña Teresa lo detuvieron.

—Tía Teresa... ¡ven! —exigió la novia—. Te presentaré a los amigos de Miguel —dijo en un intento por lograr acercamientos que, de no ser por su casamiento, jamás se darían—. El señor Urtiaga es amigo de Miguel y enviado del presidente. Don Manuel, esta es mi tía Teresa.

—Sí, estoy al tanto de su visita. Mucho gusto, su merced —dijo la mujer fríamente.

—Mucho gusto, señora —saludó. Él la conocía de vista.

—Tía, esta es Mercedes Castro, una amiga también.

—Con la señorita Castro ya nos conocemos, aunque no en la mejor de las circunstancias. —Decidió endulzar su voz para entrar en el tema que quería tocar—. Pero hoy estamos aquí en circunstancias felices —dijo exhalando un suspiro y desarmándose en una sonrisa.

—Así es, señora García. ¿Usted se encuentra bien? —preguntó Mercedes, inclinándose por cortesía.

Urtiaga miró a las tres mujeres; no estaba seguro de qué

relación unía a Mercedes con la mayor, pero se trataban de manera cordial.

—Perfectamente, señorita Castro... No imaginé encontrarla aquí, aunque a veces suelo cruzarla. Hace poco la vi, pero creo que usted no me vio.

—Discúlpeme —respondió—, no la debo haber reconocido. ¿Y dónde me vio? —dijo preocupada al pensar que la mujer podía juzgar que no quiso saludarla.

—En la calle Alvear —detalló—. Estaba del brazo, supongo, que de su prometido, el joven Alcorta. Creo que él tiene su estudio... o algo allí. ¿No?

Mercedes creyó desmayarse. No podía tener tanta mala suerte. La García, maligna, insistió:

—No considere que no quise saludarla... Discúlpeme... Sólo que estaba tan apurada... ¿Era usted, verdad?

Urtiaga se desfiguró. Las palabras «prometido», «Alcorta», «estudio», «calle Alvear» lo trastornaron. Toda Córdoba sabía qué clase de hombre era el mozo Alcorta y qué tenía en la calle Alvear.

—Yo... —titubeó Mercedes.

—¿Era usted, Mercedes? —se entremetió Urtiaga sin importarle el protocolo de la conversación, buscando darle espacio para hacer el descargo correspondiente. Se hallaba indignado. ¿La chica lo ponía en ridículo ante la sociedad cordobesa? Si de verdad tenía un romance con semejante tipo... ¡era necesario que aclarara las cosas ahora mismo! La miró fijo con ojos interrogantes.

—Sí... era yo. Pero había ido a buscar a otra persona al... estudio del señor Alcorta. Él no es mi prometido.

La García la miró con cara ingenua, y dijo:

—Ah... perdón, como la vi del brazo del joven y en la puerta de su... ¿Ustedes son parientes?

—No —contestó Mercedes con el semblante desfigurado.

Urtiaga, al ver que ella no negaba nada más en relación al asunto, pensó que esto… ya era suficiente para él.

—Perdón, señoras, las dejo con su charla. Iré a saludar a mi amigo Miguel, al que aún no he felicitado.

Francisquita se dio cuenta de que algo no andaba bien y decidió llevarse a su tía, que, cuando quería ser ponzoñosa, sabía bien cómo lograrlo.

—Vamos, tía, le mostraré los regalos.

Y todos desaparecieron al mismo tiempo; salvo Mercedes, quien se quedó sola junto a los postres.

El ánimo festivo se había esfumado para ella, el cielo se le antojó oscuro y sintió deseos de llorar. Tal vez podría ir tras don Manuel y explicarle. Lo buscó con la mirada. Él charlaba despreocupado en la otra punta del patio. ¿Qué decirle? ¿Cómo decírselo? ¿Darle explicaciones delante de otras personas? No, decididamente no podía hacer ese papelón.

Resolvió buscar a su tía. Deseaba marcharse ya mismo.

Doña María, que no entendió lo que le pasaba, lo atribuyó al comportamiento de su sobrina, siempre diferente al de cualquier chica de su edad. Y, mientras se subían al carruaje, le dijo:

—Mercedes, tienes que divertirte más, la vida es linda. Urtiaga se moría por estar contigo, estoy segura… Y tú te marchas tan temprano.

—Vamos, tía, en casa hablamos.

Una vez que llegaron, ella se encerró en su habitación y sólo salió el domingo, temprano, para asistir a misa. No le contó lo sucedido a su tía. La preocuparía en vano. ¿Acaso podían hacer algo? Además, tendría que soportar sus retos, que bien merecidos los tenía. En la iglesia, ante el altar, rogó a Dios que acomodara las cosas con don Manuel y que la verdad saliera a la luz. También rogó para que el día lunes monseñor Matera las recibiera y la reunión resultara provechosa; si esto sucedía, al fin se acabaría la oposición que la Iglesia ejercía sobre el colegio normal y, con ella, la estúpida guerra que envenenaba hasta su vida personal.

Ver a su sobrina triste y encerrada, a doña María le dio un claro indicio: Mechita y don Manuel habían reñido o algo parecido; y sacó la conclusión de que los jóvenes de ahora no se ponían tan fácilmente de acuerdo.

A la salida de misa, Mercedes, ensimismada en sus propios ruegos, no se percató de que dos señoras cuchichearon a su paso, tras cruzar el umbral.

El supuesto romance de la señorita Castro con Alcorta ya había trascendido en la sociedad. Sin embargo, no todos lo creían. Algunos, incluso, la defendían.

CAPÍTULO 6

OPTIMISMO Y ALGO MÁS

Soy optimista.
No me parece muy útil ser otra cosa.

WINSTON CHURCHILL

El lunes por la mañana, temprano, el normal era un hervidero. Una mezcla de emoción y nervios unía al grupo de maestras, a las señoras distinguidas de la ciudad y a *miss* Armstrong y *miss* Wall. Imaginar que realizarían algo que los hombres no estaban dispuestos a peticionar, y saber que ellas se atrevían por amor al país, las hacía sentir valientes y especiales. Guardarían su orgullo y le propondrían al religioso impartir catecismo en el normal. Además, *miss* Armstrong llevaba en sus manos una nota de su puño y letra en la que declaraba que ella, pese a ser protestante, jamás había intentado ni intentaría propagar su religión. Todo esto, a cambio de que el nuncio retirara el anatema que pesaba sobre la escuela y la amenaza de excomunión para sus alumnas.

Las cuadras que juntas caminaron hasta el gabinete de monseñor Matera se les hicieron cortas. La excitación entre las quince mujeres era mucha. La gente se daba vuelta para mirarlas cuando pasaban.

Finalmente, el sorprendido prelado las recibió y durante un buen rato las escuchó. Trataban de contenerse y de no hablar todas al mismo tiempo, pero les resultaba difícil. *Miss*

Armstrong comandaba el grupo y la charla como podía. Pero acabadas las explicaciones, monseñor Matera entendió la propuesta y viendo la entrega absoluta de las mujeres, con tal de que él apoyara el colegio, hizo su oferta:

—Señoras, me habéis convencido de vuestra buena voluntad y de que el colegio no es peligroso. Quitaré el anatema de la escuela y la excomunión, siempre y cuando se cumplan tres puntos: primero, que el gobierno presente una nota explicando que su intención no es propagar la religión protestante con la presencia de ustedes, distinguidas *misses* norteamericanas —dijo señalando a *miss* Wall y *miss* Armstrong—. Segundo, que en el normal se enseñe el catecismo católico. Y por último, que yo pueda visitar el establecimiento cuando lo crea conveniente para controlar dichas enseñanzas.

Mercedes pensó que no era tan grande el sacrificio, si con eso acababan la guerra.

Un espíritu de aparente entendimiento reinaba en la sala. *Miss* Armstrong, complacida, tomó la palabra:

—Nos parecen atinadas sus peticiones; yo misma se las haré saber al ministro.

Saludaron en medio de un bullicio controlado y se retiraron convencidas de que su misión había sido exitosa. Si la ida había sido emocionante, la vuelta al colegio fue exultante. Caminando por las calles de Córdoba con sus largos vestidos, unidas por el compañerismo, sentíanse livianas y victoriosas, creyendo haber conquistado un importante bastión.

Horas más tarde, *miss* Armstrong, con Mercedes y *miss* Wall a su lado, escribía una nota al ministro de Instrucción Pública, doctor Eduardo Wilde. En la carta le explicaba lo que acababa de hacer junto a las demás mujeres y lo que monseñor exigía para apoyar el proyecto gubernamental del colegio normal. Por último, le suplicaba que le permitiera cumplir con lo reclamado por el religioso.

La respuesta no se hizo esperar: a los cuatro días la tuvo en sus manos. Pero no fue la anhelada. Mercedes, expectante, escuchó cómo *miss* Armstrong leía, y unas lágrimas de impotencia rodaron por sus mejillas al comprender que el ministro Wilde les enviaba, en lugar de una felicitación, una dura reprimenda por actuar más allá de sus atribuciones. Además, las instaba a que se abstuvieran de realizar otras gestiones similares. El corolario del mensaje era: «La enseñanza se impartirá según el plan del gobierno: laica, gratuita y obligatoria».

Grande fue la amargura de ese día en el colegio normal. Llantos de madres, maestras y alumnas se confundieron. Ellas, que habían estado dispuestas a todo para que la paz volviera a la ciudad y al colegio, habían sido severamente amonestadas. Y lo peor: todo seguiría igual.

Pero pasado el dolor del primer momento, un nuevo sentimiento comenzó a aparecer en Mercedes y en las demás: el de fortaleza ante la adversidad, el de entereza ante un revés.

La decisión estaba tomada: continuarían fieles en sus puestos, enseñando libres de prejuicios. Estaban seguras de que, algún día, una de las partes cedería; entonces, la paz y la nobleza de espíritu harían grande la educación y la nación.

Durante esa semana, Mercedes repartió gran parte de su tiempo entre la escuela y la iglesia.

Arrodillada frente al altar de la Compañía, con el rostro bañado en lágrimas, le preguntaba a Dios: «¿Por qué los hombres se empeñan en hacer tantas divisiones estúpidas? ¿Por qué no pueden ponerse de acuerdo en nombre del amor que los debería unir? ¿Por qué los dos bandos en discordia, con tal de no perder el poder, ponen en juego la existencia de la escuela, esa escuela de la cual saldrán las maestras que tantos beneficios traerán para los niños de nuestro querido país?».

Y a este dolor se sumaba otro en la oración: que Dios defendiera su honor ante el supuesto romance con Alcorta. Más aún: con promesas de ayuno, rogó que Urtiaga conociera la verdad. La cara de don Manuel, sorprendido e indignado frente a las palabras de Teresa García, se le aparecía una y otra vez.

Pero las plegarias no fueron contestadas; por lo menos, no inmediatamente. Y en medio de la mala semana que se vivió en el normal, Merceditas se enteró de que don Manuel se marchaba a Buenos Aires. El presidente lo requería con suma urgencia. Volvería, seguramente; pero no se sabía cuándo. Él no se presentó a despedirse, ni siquiera le envió una mísera esquela.

A partir del regaño que el ministro envió a las maestras, el colegio cayó en el letargo y la rutina. No así la lucha del gobierno con la Iglesia, ya que después de la intervención de las mujeres y las maestras del normal de Córdoba, el ministro Wilde le exigió una explicación al delegado papal. Como no fue satisfactoria, el mismísimo presidente Roca dispuso que, sin dilación, al religioso se le devolvieran las credenciales y que abandonara el país en el lapso de veinticuatro horas. ¡Había sido expulsado! Su desalojo provocaría la ruptura de las relaciones entre el Estado argentino y el Vaticano durante más de quince años.

Los días se alargaron. Y para Mercedes, los primeros calorcitos y el tiempo que pasaba en el aula fueron un consuelo. Disfrutaba tremendamente de la compañía de sus alumnas; las muchachas hacían preguntas que iban más allá de los programas escolares. El saber, puesto a su disposición por primera vez, despertaba su entendimiento. «¡La mujer sí es igual de inteligente que el hombre!», opinaba ella, oponiéndose a algunas voces masculinas de la época. La mujer sí podía llevar adelante el desafío que le había confiado el gobierno: enseñar a todos los niños del país. ¡Educar no era un trabajo sólo para hombres! Algo estaba cambiando en el país y, buscando ser merecedora de la parte que le tocaba en esa transformación, con esmero y dedicación, hacía su tarea cada jornada, disfrutando del privilegio que se le brindaba.

Un día casi veraniego, en la clase de Lengua, en medio de redacciones que llevaban por título «Mi sueño», una de sus alumnas le preguntó:

—Señorita, ¿y su sueño cuál es?

Ella, sin pensar mucho, le respondió:

—Verlas a todas ustedes recibidas y a cargo de escuelas llenas de niños.

—¡Díganos la verdad! ¿Acaso no sueña también con casarse? Porque nosotras soñamos muchas cosas... ¡pero también con un príncipe azul!

La pregunta la enfrentó con una encrucijada velada en su interior. Y sin preverlo, un encontronazo entre vocación y sentimientos la dejó sin aliento ante el profundo dilema.

La verdad era que sí quería casarse con su príncipe, ese que se había marchado. Pero era imposible. Urtiaga, probablemente, se había olvidado de ella; y además, mientras fuera maestra, no podría contraer matrimonio. Y por ahora, no pensaba abandonar el magisterio.

Decidió contestarles a las chicas con un simple:

—En este momento, ese no es mi sueño.

No las conformó; pero, al menos, las calló.

Mercedes siguió yendo a casa de los Falcón, como siempre. Al principio intentó tener una conversación seria con Susi sobre la ocasión en que la había ido a buscar a lo de Alcorta, pero la niña había negado todo una y otra vez. Se sosegó pensando que más no podía hacer. Y continuó enseñándole a ella y a sus hermanos. Hasta que, casi a fin de año, cuando un lunes caluroso se presentó en la vivienda de los Falcón, Susi le dio la noticia: estaba embarazada. El niño era hijo de Alcorta, quien, por supuesto, ya le había dicho que no se haría cargo. Es más: desde que lo supo, había dejado de frecuentarla.

La madre de la chica le contó llorando que el bebé nacería a mediados del año entrante. Y Mercedes le dijo a la muchachita:

—Susi, ahora, más que nunca —la exhortó—, debes estudiar, debes darle un futuro a tu hijo.

La parte buena de la desgracia fue que así sucedió: la pequeña Susi estudió con ahínco, ya que los vómitos primero y luego la panza no le permitieron hacer su trabajo de planchadora.

Por esos días, también, un viejo sinsabor fue revertido cuando al fin se aclaró qué hacía la maestra Mercedes en el tugurio del joven Alcorta, unos meses atrás.

Pero lo positivo de la desventura no tranquilizó a Mercedes; la vida de la muchacha se había malogrado para siempre ante los ojos de la inflexible sociedad cordobesa.

CAPÍTULO 7
LO QUE DICE UN BESO

En un beso sabrás lo que he callado.

PABLO NERUDA

Para diciembre, en medio de los calores y los duraznos jugosos del patio de la escuela, las maestras y las alumnas se hallaban preparando la fiesta de fin de curso. Habría diplomas y actuaciones. Todas se merecían un descanso: el año había sido duro, pero nadie –ni una maestra, ni una alumna– había desistido. Y si bien continuaba el temor de que el colegio se cerrara y el sueño de una educación laica, gratuita y obligatoria se perdiera, los planes para el año siguiente eran muchos y grandes.

Por eso, cuando finalmente la directora dio su discurso de conclusión del período, hubo lágrimas, pero también un espíritu de triunfo y algarabía. El primer año de la escuela normal había terminado victorioso.

Tres días antes de Navidad, en la casa de las Castro reinaba la paz. Mercedes, una vez concluidas las clases, había dormido profundamente un par de días. Los nervios del año escolar y la histeria de la fiesta final la habían mantenido

73

colmada, y recién ahora descansaba de veras. Esa tarde, tía y sobrina bordaban pañuelos para regalar en Nochebuena, mientras comenzaban a organizar las fiestas y sus comilonas. Pasarían la noche de Navidad y la del Año Nuevo en la residencia de los Cárcano.

—Quieren que para Navidad sólo lleve ensalada de frutas. ¡Pero eso es un desplante! ¡Por supuesto que llevaré además un pollo a la rusa! —exclamó doña María, deseosa de participar en la mayor cantidad de preparativos navideños posibles.

—Tía, deje de pensar tanto en la comida, que, como usted misma dice, es el cumpleaños de Jesús.

—Por eso, justamente, hay que festejar como corresponde. Además, esa noche seremos muchos.

Su tía dudaba en darle la noticia: su amiga Honoria le había confidenciado que en la semana de las fiestas vendría Manuel Urtiaga. Doña María había visto sufrir a Mercedes por la partida de don Manuel casi tanto como con las adversidades soportadas en el normal. El hombre había tenido que marcharse intempestivamente –era entendible, el presidente lo llamaba–, pero ni siquiera se había despedido de su niña y tampoco veía que le escribiera. Era evidente que una parte de la historia se le había pasado por alto. Pero Merceditas era así, reservada y difícil, y ella la amaba igual. La miró con ternura de madre y decidió alertarla.

—Mi querida niña…, ¿usted sabe que para las fiestas viene don Manuel a lo de los Cárcano?

Sorprendida, levantó sus ojos del bordado. No, no lo sabía. ¿Quién se lo iba a decir, si habían terminado mal?

—¿Ah, sí? Me alegro por él, que puede volver a esta tierra linda. Pero, tía, no espere nada, que, entre nosotros, todo se acabó —dijo con firmeza y dio por finalizado el tema.

No obstante, se quedó pensando en cómo se tratarían

cuando se vieran, porque él ni siquiera se había despedido y, a estas alturas –suponía–, ya sabría la verdad sobre el malentendido con Alcorta.

La Navidad en compañía de los Cárcano fue familiar, tranquila y espiritual. Participaron de todas las misas y las salpicaron con momentos agradables y comidas caseras que compartieron juntos. Ramón Cárcano, entre los viajes y el ajetreo al que lo sumía su nuevo lugar en la política, luego de su controvertida tesis, aprovechó las fiestas para presentar ante sus padres a su novia: Anita Sáenz de Zumarán, hija del cónsul de España.

La tía María, al ver tanto noviazgo y amor bien avenido, deseando lo mismo para su sobrina, quiso conocer detalles de la visita de Urtiaga. Preguntó:

—Honoria, ¿y cuándo es que llega don Manuel?

—En esta semana, María. Y no te hagas la disimulada que sé bien por qué curioseas. Aunque me parece que aquí la más interesada eres tú, porque tu sobrina ni lo nombra.

—No vayas a creer, Honoria. A veces nuestros ojos no alcanzan a ver todo lo que pasa a nuestro alrededor.

—Él está muy interesado en tu sobrina, me lo dijo Ramoncito. ¡Y eso que era un hueso duro de roer…! Mira que mujeres, en Buenos Aires, nunca le han faltado.

—Lo sé. Pero Merceditas y su vocación complican un poco las cosas.

—Yo no sé qué quieren decir con eso de la «vocación»: la única que yo conozco es la de ser monja, porque si no, el único destino aceptable para las mujeres sería el de convertirse en esposa y madre.

—¡Ay, Honoria, los tiempos han cambiado! ¡Estamos en 1884! Aunque la verdad... a veces yo tampoco comprendo a mi sobrina —se sinceró María, para quien el tema de la vocación en una mujer era, todavía, un enredo.

Juntas continuaron, entre mate y pan casero, filosofando sobre la vida de las mujeres modernas y sobre ese gustillo extraño que florecía en algunas jóvenes por cosas muy diferentes a criar hijos y cazar maridos. Situación que era un nuevo y verdadero misterio para ambas.

Era ritual aceptado que en las calurosas tardes desde Navidad hasta el Año Nuevo, los cordobeses se reunieran, se saludaran y compartieran un *vermouth* o una limonada en los patios; muchos intercambiaban regalos; y, algunos pocos, tarjetas de buenos augurios, ya que eran difíciles de conseguir. El papel era un bien muy preciado.

Esa tarde, Mercedes se encaminaba con su amiga Antonia hacia una de las tertulias, la que se ofrecía en la casa del cónsul italiano, don Pedro Senestrari. Llevaban sus sombrillas de encaje, pues el sol aún se hacía sentir en las calles de la ciudad.

Al llegar, fueron recibidas por las criadas, quienes las condujeron hacia el interior de la casa, donde se encontraban los invitados. Grande fue la impresión de Mercedes cuando ingresó al patio para saludar y vio al cónsul sentado junto a don Manuel, ambos bien vestidos, *vermouth* en mano, charlando animadamente.

El vozarrón del grueso italiano retumbó en el patio:

—¡*Signoras, avanti!* Pasen, por favor. Las mujeres están en la cocina, buscando más provisiones —dijo señalando la mesa.

Los cuatro se saludaron con cortesía, mientras Urtiaga la comía con la mirada.

En minutos hizo su aparición la comitiva de mujeres con la picada esperada: carne fría, huevo de avestruz cortado en rodajas y pan recién horneado.

Después de los saludos de rigor, charlas ligeras y miradas intensas de don Manuel, el grupo se entretuvo y se hizo un solaz. Al fin ellos pudieron hablar.

—Mercedes, tanto tiempo sin verla. ¿Se encuentra usted bien?

—Perfectamente. ¿Y usted, don Manuel?

—Ahora que la veo, mejor. La eché de menos.

—¿Ah, sí? No me diga. Porque... —Suspiró a modo de reproche—. Que yo sepa, ni se despidió de mí.

—Es verdad. Pero ¿podrá perdonarme? ¿Me permitirá visitarla?

—No lo creo. Mi vida está demasiado atareada en estos tiempos. Ahora, si me disculpa, me retiro. Ya me iba —dijo mirando a Antonia.

—Sé que hubo un malentendido... —aseveró él refiriéndose al comentario del cual nació la discordia, el que ya le habían aclarado por carta sus amigos de la universidad.

Ella no le contestó; él insistió:

—Al menos me queda la esperanza de que pasaremos juntos el Año Nuevo en casa de Ramón.

—Pues entonces, allí nos veremos —dijo despidiéndose fría y distante.

Era una bellísima noche de diciembre y los preparativos para la fiesta de fin de año se veían en cada rincón de la casa de la familia Cárcano. Las mesas armadas en el primer patio con manteles rojos y la gran cantidad de flores y velas que doña Honoria había puesto sobre ellas le daban al lugar un aspecto alegre y festivo.

Comerían toda clase de exquisiteces frías, las que ya se encontraban listas sobre una de las mesas. Los comensales eran más de veinte. A los Cárcano, Mercedes y su tía se les sumaban don Manuel y dos familias más: la del cónsul italiano, don Senestrari, y la de Antonia Álvarez. Las dos maestras norteamericanas, *miss* Wall y *miss* Armstrong, y dos de sus compatriotas, el señor Thome y el señor Ellis, ambos, ayudantes en el Observatorio Nacional, también habían sido invitados.

En medio de las turbulentas situaciones de ese año, había florecido un romance: *miss* Wall y John Thome se habían enamorado. Mercedes veía cómo la relación se afianzaba, lo cual era una nueva preocupación, porque, si terminaba en matrimonio, *miss* Wall debería renunciar al normal. Contemplando a la pareja, decidió no adelantarse a los acontecimientos preocupándose de antemano.

Sabía que desde que había llegado era observada de manera insistente por don Manuel; el hombre la volvía loca con sus miradas, pero lo ignoró y se dedicó a charlar con su amiga Antonia y el señor Ellis, quien les contaba sus interesantes experiencias en el Observatorio; y cuyos ojos claros las hacían doblemente sorprendentes.

—Señor Ellis, ¿es verdad que editarán un nuevo catálogo de estrellas?

—Así es. Incluirá setenta y tres mil estrellas.

—¡Qué cantidad! ¡Qué tarea más extraordinaria que realizan los astrónomos!

—Oh, no tanto como la de ustedes, señoritas. Verdaderamente están haciendo historia. Mujeres enseñando en colegios del gobierno... —dijo, y terminó la frase con un silbido. Luego agregó—: Son muy valientes.

—Muchas gracias. Pero a nosotras se nos acabaría la valentía al tener que pasar la noche entera en ese edificio y sin un alma alrededor, salvo zorros y animales salvajes —comentó Mercedes.

—Pues no crean que son las únicas; sobre todo, algunas noches son especialmente tétricas.

Las dos jóvenes y el muchacho lanzaron una carcajada que llegó a oídos de Urtiaga, quien, ya malhumorado, comenzó a acercarse a ellos.

Ellis les sugirió:

—Si alguna vez lo desean, podemos llevar a un grupo de alumnas y mostrarles el precioso cielo de su provincia.

—No sé si me animaría —repuso Mercedes pensando que no era tan grande el temor, como sí la ardua tarea de conseguir semejante permiso. Lograrlo, creyó, sería imposible.

—Señorita Mercedes, no habría peligros, yo me encargaría de cuidarlas —dijo galante Ellis al mismo tiempo que Urtiaga pasó a su lado con la copa en la mano, la fulminó con la mirada y exclamó:

—¡Brindo por los brillantes científicos norteamericanos, que de tan lejos han venido para terminar enseñándonos nuestro propio cielo! —Y levantó la copa.

El brindis no le cayó muy bien a Ellis, ya que justamente esa era la crítica que habían señalado los periódicos: ¡el despropósito de tener que traer extranjeros para estudiar nuestro firmamento!

Mercedes y Antonia lo miraron molestas, mientras escuchaban la voz de doña Honoria llamando a los comensales a la mesa.

El convite comenzó y las charlas amenas y culturales le siguieron; el buen humor reinaba para todos, salvo para don Manuel, que había quedado sentado lejos de Mercedes. Distante y contrariado, la veía charlar con el tal Ellis. Cuanto más la miraba y ella más lo ignoraba, más vino servía en su copa para compensar el desplante.

Hacia el final de la cena, los distendidos comensales disfrutaban de la sobremesa, y Urtiaga, con todo lo bebido, estaba más que entonado. Don Inocente Cárcano se paró, e invitó a los presentes para hacer un brindis. Propuso:

—Por la amistad entre las personas y los pueblos, la que veo hoy representada en mi mesa. ¡Por el Año Nuevo! ¡Que traiga felicidad para todos...! ¡Salud!

Sus invitados respondieron:

—¡Salud!

A punto de sentarse, don Cárcano agregó:

—¡Ah! Y un brindis más: por el amor, que también está representado en mi mesa —dijo señalando a *miss* Wall y John Thome—. ¡Felicidades a los futuros esposos! Acabo de enterarme de que este año habrá boda.

Un bullicio se hizo entre los comensales. Y una oleada de tristeza envolvió a Mercedes. Lo que venía imaginando se hacía realidad: *miss* Wall se iría del normal. Si bien *miss* Armstrong era la directora, *miss* Wall formaba parte del alma del colegio con su carácter alegre, vivaz y temerario. La profesora de gimnasia, la vicedirectora, se marcharía.

Después del brindis, los presentes comenzaron a moverse de lugar. Las mujeres mayores trajeron los postres y Urtiaga hizo un último intento por aproximarse a Mercedes, quien, preocupada por las novedades, ni lo advirtió. Y él, despechado, desapareció.

Mercedes se acercó a *miss* Wall, que la miró con sus expresivos ojos azules.

—¿Sucede algo, Mercedes?

—¿Se irá?

—Sí... del colegio... pero no de Córdoba. Tú ya conoces el contrato: si me caso, no me permitirán continuar.

—Es una pena... ¡Tenemos tanto por hacer!

—Y lo seguiremos haciendo. ¿Sabes? A mis treinta y un años ya no esperaba encontrar el amor, pero en esta tierra lo he hallado. El señor Thome es realmente brillante y, en honor a su esfuerzo, este año lo nombrarán director del Observatorio Nacional. Yo tendré que acompañarlo, pero continuaré colaborando con el colegio. De todas maneras, aún me quedan algunos meses más en el normal.

—Señorita Wall... —dijo Mercedes con los ojos llenos de lágrimas.

La mujer se levantó y la abrazó mientras le decía:

—No te preocupes; aunque yo no esté, todo seguirá su curso y el normal se quedará para siempre —sentenció, como una profecía que se cumpliría.

—¡Ay, *miss*, no crea que no estoy contenta con su boda...! Me alegra por usted.

Volvieron a unirse en un abrazo y se dijeron palabras cariñosas. Luego, Mercedes se retiró.

Se sentía desamparada. Buscó con la mirada a don Manuel; él, tal vez, podría entenderla, pero no estaba por ningún lado. Tenía deseos de llorar y de estar sola. En unos minutos sería medianoche y 1885 comenzaría. ¿Qué traería este año? ¿Estaba bien lo que hacía? ¿Estaba bien dejar su vida en la educación? ¿Era correcto depositar sus sueños allí? Parecía que todos tenían derecho a una vida, menos ella. ¿Por qué se iba *miss* Wall después de haber viajado miles de kilómetros? Si este año no encontraba unidas a las maestras, difícilmente terminaría bien la historia del normal. Necesitaba pensar.

Se alejó de los invitados y buscó privacidad en el segundo patio, pero no la encontró; algunos criados tenían su propia fiesta y entraban y salían de los cuartuchos que daban a él. Fue al tercer patio y allí, en la arboleda, encontró paz. Sólo estaban los caballos y los carruajes, bajo una pobre iluminación.

Dio la vuelta y se puso al reparo entre dos coches. Luego, sin que nadie la viera, se tomó el rostro con las manos y se largó a llorar desconsoladamente.

Mientras lo hacía, una mano fuerte la sujetó del brazo. Sobresaltada, levantó la vista.

Era don Manuel.

—Mercedes, por Dios, no llore así. ¿Qué le pasa? ¿Cómo puedo ayudarla?

—No me pasa nada. ¡Déjeme! —le ordenó mientras, avergonzada, se limpiaba la cara.

—¡Pero qué mujer! ¿Por qué no me permite acercarme? Quiero cuidarla.

—¿Cuidarme? Si se va cuando quiere, ¿cómo voy a confiar en usted?

—Confíe, por favor. Usted es muy importante para mí.

—¡Qué voy a ser importante!

—Sí que lo es. ¿Qué cree que me trae a Córdoba? —Calzó sus ojos en ella y, sin poder medir sus palabras, agregó—: Cuando veo un hombre cerca suyo, como el mequetrefe *yankee*, me vuelvo loco. Y cuando la tengo cerca —dijo pegándose a ella hasta sentir su respiración—, no soy dueño de mis actos. —Y le acarició el rostro sin su permiso.

Mercedes podía sentir el aliento de don Manuel, olía a *brandy*.

Permanecer allí, los dos abrazados en la oscuridad, no estaba bien. Pero le fallaba la voluntad.

—¿No se da cuenta de que me tiene perdido? —Se hundió

en los ojos marrones, la estrechó aún más y la besó. Ella se dejó besar. Fue un beso largo, lleno de deseo contenido.

Don Manuel había tenido mujeres –todavía las tenía, allá, en Buenos Aires–, pero esto era diferente. Con una mujer como ella no podía jugar, ella era para casarse.

Mercedes, envuelta en nuevas sensaciones, quedó enredada en la dulzura de la boca que la besaba, pero le bastó un instante de razón para comprender que debía detenerse y bruscamente se separó de él.

—¡Qué hace! ¡Está loco! ¡Siempre el mismo bárbaro! Esto no puede pasar entre nosotros. Recuerde que usted y yo no somos nada.

—¿No somos nada? ¿No hay nada entre nosotros?

—No, en absoluto. Usted está en la misma posición que cualquier otro hombre. Hasta la del mismísimo *yankee* mequetrefe.

—¿Ah, sí? No me diga... ¿Acaso él le haría sentir esto?

Se acercó y volvió a besarla con más ardor. El alcohol le jugaba una mala pasada y los límites se le escapaban. La pasión le mataba el recato.

No la soltaba y su boca se refregaba contra los labios de la joven —ahora, cerrados—, mientras la aprisionaba entre sus brazos y sentía cada una de sus curvas.

Mercedes trataba de deshacerse de don Manuel, pero su fuerza se lo impedía. En medio de forcejeos y respiraciones entrecortadas, varios estruendos fuertes y seguidos los sacaron de su combate personal. Eran explosiones. Era el Año Nuevo. En el otro patio, para festejar, los hombres disparaban sus armas.

Ambos, aún con las manos en la ropa del otro, se miraron a los ojos y comprendieron que debían parar la situación extraña y peligrosa en la que se habían metido.

—Don Manuel, me parece que esta noche usted se pasó de la raya. O confundió la clase de mujer con la que está tratando —dijo Mercedes. Y sin esperar respuesta por miedo a que el hombre volviera a empezar, se marchó inmediatamente.

Urtiaga, turbado, frunció la cara, se pegó él mismo un cachetazo en la cabeza con la mano y exclamó:

—¡Carajo, qué hice! —Y desvalido, se sentó en el pasto contra la rueda del carruaje.

Cuando Mercedes ingresó al primer patio, reinaba la algarabía: 1885 había comenzado. Todos se saludaban y se deseaban los mejores augurios.

El jolgorio duró algunos minutos, pero poco a poco fue mermando porque pronto el cansancio venció a los invitados, que se fueron marchando. Mercedes, confundida, no sabía si ponerse mal por la delicada situación que acababa de vivir o estar feliz por lo que ella había provocado en don Manuel. El segundo beso no le había gustado, pero el primero...

En realidad, era el primero de verdad: nunca antes nadie la había besado. Se rozó los labios con las manos y le pareció sentir el aliento de don Manuel. Un cosquilleo la recorrió entera... aun en los lugares más recónditos. Y entonces, el corazón se le volvió a acelerar.

Urtiaga, avergonzado, fue el último en retirarse; no quería pasar por la humillación de saludar a Mercedes o a su tía. O sentir bronca al estrechar la mano de los norteamericanos.

Desde temprano, el calor apretaba en la mañana del primero de año. Mercedes acababa de despertarse y andaba por la casa en pantuflas, con un vestido ligero, cuando su tía, mientras miraba por la ventana, le anunció:

—Mi niña, parece que tenemos visita.

—¿Quién es el molesto? Si todavía todos duermen.

—Pues parece que el madrugador es don Manuel Urtiaga.

Mercedes se miró en el espejo de la sala: los bucles de la noche anterior habían desaparecido y su pelo, completamente suelto y salvaje, la desafiaba desde su imagen reflejada. Y observando su atuendo, comprobó que sólo llevaba el vestido; no tenía enaguas, corsé, ni polisón. En síntesis: estaba hecha un desastre.

—Entretenlo, tía, que me arreglo un poco.

—Pero, hija, si estás hermosa —se quejó doña María, mientras ella desaparecía.

Don Manuel entró y saludó. Llevaba cara de circunstancias. Doña María se compadeció y lo ayudó:

—¿Viene a hablar con Mechita?

—Sí, doña María. Yo sé que no es de protocolo que nos quedemos solos, pero necesito decirle algo muy importante a su sobrina. ¿Usted nos permitiría permanecer unos momentos a solas?

La anciana dudó. No pensaba que fueran a hacer algo malo, sin embargo, si alguien se enteraba, habría habladurías.

—Hum, no sé.

—Mire, le adelanto algo: yo a su sobrina la quiero bien. Pero con esto de las distancias que nos separan no tenemos tiempo para avanzar en la relación y siempre surgen malentendidos. Además, usted sabe que yo a ella la respeto mucho.

—Y al escuchar sus propias palabras, se abochornó recordando la opereta de la noche anterior.

—Está bien, don Manuel, usted gana. Los dejo solos, pero con la puerta abierta. Me quedaré en el patio —advirtió.

La anciana se fue y entró Mercedes.

Al verla aparecer con el cabello rubio suelto cayéndole

sobre los hombros, con un hilillo de sudor en el escote, y el vestido sin enaguas ni polisón, mostrando sus verdaderas curvas, Urtiaga se desquició; aún tenía vívido el recuerdo de su cuerpo pegado al suyo. Y Mercedes, al ver a ese hombretón enorme y elegante con cara de penitente pagando culpas, se enterneció.

—Vine porque necesitaba hablar con usted.

—Yo...

—No me diga nada, déjeme hablar, porque si no acabaremos riñendo como sucede últimamente. Antes que nada. —Bajó la cabeza, avergonzado—. Le pido perdón por mi arrebato de anoche. Yo... la quiero bien. Usted es muy importante para mí. Yo... me quiero casar con usted. —Tomó aire y prosiguió—: Sé que usted vive para ese normal, pero piénselo. Algo se nos ocurrirá para que siga enseñando en alguna parte, o a algún niño que lo necesite. Así sea que le tenga que inventar un normal sólo para usted.

—¿Casarnos? Pero si ni siquiera somos novios.

—Dígame, ¿a usted no le parece que lo de anoche fue suficiente prueba de que hay algo fuerte entre nosotros?

Tenía que ser sincera, las cartas estaban echadas:

—Mire, don Manuel, no lo puedo engañar... Yo siento algo por usted. —La cara del hombre se iluminó; ella continuó—: Pero mi trabajo en el normal no lo cambio por nada. Mi vida está allí. Amo esa tarea, la llevo en mi corazón.

—Merceditas, yo me voy a Buenos Aires, pero vuelvo en un par de meses. Piénselo. —Y acercándose y mirándola a los ojos, le dijo—: Usted es para mí; de eso, estoy seguro. —Y besándole la mano con gesto galante, se marchó.

Ya desde la puerta, le pidió:

—Déjele mis cariños y saludos a su tía.

Cuando María entró a la sala, tuvo la certeza de que su

sobrina estaba enamorada. ¡Y mucho! Casi tanto como lo estaba de su trabajo. Pensó que a la pobre niña no le sería fácil decidir, pues para colmo de males –como el mismo Urtiaga dijo–, las distancias no ayudaban para que la relación avanzara.

—¿Y, mi niña...? ¿Qué pasó?

—¡Quiere casarse! Y yo... ahora no puedo.

—Que yo sepa, usted es soltera.

—Tía, sabe bien de qué estoy hablando.

—Sí, pero piénselo. El verdadero amor no golpea a nuestra puerta dos veces. Es como una llama que se prende una sola vez en la vida. Se lo digo yo porque sé —dijo doña María y se perdió en sus recuerdos.

CAPÍTULO 8
DE LAS OFENSAS Y OLVIDOS

Olvidemos lo que sucedió,
pues puede lamentarse, pero no rehacerse.

Entre tertulias amistosas, excursiones al río y noches pensando en don Manuel y en la decisión pendiente, el verano
pasó volando. Y a Mercedes le pareció mentira que las clases
volvieran a comenzar. ¡Su segundo año como maestra! La
felicidad de los preparativos para el inicio de clases se veía
opacada por nuevas oleadas de oposición que surgían en la
ciudad contra la escuela.

Si bien las únicas procesiones que se hacían eran las indi-
cadas por el santoral y atrás habían quedado los exorcismos
de doña Teresa García, a quien ya no se la veía rezando contra
la pared del normal, otros vientos de ataque se cernían. Los
periódicos *El Eco de Córdoba* y *La Prensa Católica* lo criti-
caban abiertamente y proclamaban que «la ciudad vivía los
días de Sodoma y Gomorra» al permitir el funcionamiento
de un colegio como ese, sin religión.

Pero las clases empezaron y las niñas llegaron al establecimiento como siempre: cada una con su criadita llevándole
los libros cuatro pasos atrás.

—¡Esta costumbre tiene que cambiar pronto! —dijo *miss*
Armstrong a Mercedes en cuanto las vio.

89

—*Miss*, no se olvide de que en Argentina cargar paquetes es denigrante y sólo lo hace la servidumbre. Si la mujer es de buena familia, no debe hacerlo.

—No es ninguna vergüenza cargar con sus propios libros. La mujer tiene que ser lo más independiente posible; por lo menos, así es en los países modernos. Tienen que empezar con pequeñas cosas como estas. ¿Al menos tú lo entiendes, Mercedes?

—De a poco lo voy entendiendo, *miss*, de a poco.

Y también de a poco una nueva mentalidad se enraizaba en ella y en la legalista y rígida Córdoba; y en cada ciudad argentina donde se levantaba un normal.

Y como a toda acción le sucede una reacción, una mañana algo sacudió al colegio, que había iniciado sus actividades en relativa paz.

Grande fue la sorpresa de las maestras al llegar una mañana a la escuela y encontrar en la puerta una terrible inscripción. Decía: «CASA DEL DIABLO, PUERTA DEL INFIERNO».

La leyenda había sido escrita en contraposición a la que se hallaba grabada más de tres siglos atrás en la puerta de la iglesia jesuítica, que rezaba: «CASA DE DIOS, PUERTA DEL CIELO».

El mensaje era claro: si la iglesia era la casa de Dios y la puerta del cielo, la escuela sin enseñanza religiosa y a cargo de una directora protestante era la casa del diablo y la puerta al infierno.

Otra vez los ánimos se caldearon y la ciudad se dividió en dos. Los periódicos liberales hablaron de la aberración y la vergüenza de escribir tan agraviante frase en un establecimiento educativo. Y los diarios tradicionalistas pontificaron sobre la necesidad de volver a las bases religiosas para que hubiera paz.

Después de que el mal trago pasara y de que la propia *miss* Wall borrara la inscripción con pintura blanca, maestras, secretarias y directoras del normal abordaron con tranquilidad lo sucedido.

—Las represalias continuarán, casi puedo asegurarlo —dijo *miss* Armstrong.

—Son simples manotazos de ahogado —respondió, positiva, *miss* Wall.

—¡Son unos ignorantes! —exclamó Antonia.

—Nosotras —explicó *miss* Armstrong refiriéndose a ella y a *miss* Wall— tenemos claro a qué nos exponemos, aunque creo que ustedes también lo saben. Como norteamericanas, estamos lejos de casa; no así ustedes. Si alguna desea desistir del proyecto en el que estamos embarcadas, este es el momento. Para quedarse, deben estar convencidas. La lucha continuará y las presiones serán muchas y de diferente índole; ya lo han demostrado.

Mercedes tomó la palabra:

—*Miss*, usted no se preocupe; nosotras estamos perfectamente. Creo que mis compañeras opinan igual —dijo mirando a sus colegas. Todas asintieron y continuó—: Tenemos claro cuál es la realidad argentina: pocas escuelas, casi todas religiosas y disponibles sólo para una minoría privilegiada. Los niños nos necesitan. A este país lo hacemos grande con educación. Acá nos quedamos. —Y cuando reafirmó su voluntad, la imagen de don Manuel y la decisión pendiente se le clavaron en el pecho como un puñal.

Otra de las maestras agregó:

—*Miss*, nuestro pueblo, aunque es un poco porfiado, es bueno y muy creyente; tarde o temprano, entenderá. Dios le dará luz.

—Lo sé, me alegra que tengamos opiniones coincidentes y que nosotras estemos unidas —agregó la directora.

Lejos de amedrentarlas, la situación las había fortalecido.

Esa misma tarde, Mercedes, ya en su casa, le contaba a su tía el terrible acontecimiento del día cuando alguien golpeó la puerta. Era uno de los chicos Falcón. Les llamó la atención, no era común que ellos vinieran.

—Hola, Benjamín. ¿Qué te trae por aquí? —preguntó Mercedes acariciándole la cabeza.

—Mi madre me pide que le avise que el bebé de Susi nació. Es una nena y está bien. Y que la visite cuando quiera.

—¡Felicitaciones para el nuevo tío! —dijo Mercedes estampándole un beso al muchachito, que sonrió orgulloso.

—Mañana mismo iremos —prometió doña María, que llevaba un mes juntando ropitas para cuando naciera la criatura.

Al día siguiente, tía y sobrina partieron con una canasta repleta de prendas y enseres para bebé. La humilde casa se desvivió en recibimientos para con ellas. Mercedes miraba a la recién nacida y se enternecía ante el milagro de la nueva vida, pero sopesaba la juventud de Susi y la tristeza la oprimía. Pensaba que muchos casos como este se obviarían si los niños estuvieran donde tenían que estar: en las escuelas.

Cuando terminaron la visita, en el camino a su casa, doña María le dijo a su sobrina:

—¡Hija, no estés tan compungida, que has hecho una buena labor con esos niños! Cada uno me ha mostrado sus cuadernos y veo que todos han aprendido a leer.

—No creas que es mucho lo que he podido enseñarles, si lo comparo con lo que se da en una escuela. Y lo peor: ¡habrá tantos niños en esas condiciones en la ciudad y en el país!

—Merceditas, paso a paso, al menos ahora está la ley de educación obligatoria.

—Sí, lo sé. Pero aun así, seguramente numerosos niños se quedarán en el camino. Mira a la pobre Susi... Tal vez, si hubiera estudiado... –respondió con lágrimas en los ojos.

Ya había ido a ver a los Falcón un par de veces en ese mes cuando el sábado por la mañana el criado de los Agüero les trajo la noticia y la invitación: don Manuel había regresado –estaba parando en su casa–, y esa tarde las esperaban, a ella y a su tía, para tomar el té. También estaría invitado el gobernador, don Gregorio Gavier.

Doña María no terminaba de decidirse qué la emocionaba más: si saber que don Manuel había vuelto o que tomaría el té con el gobernador.

Para Mercedes, lo del gobernador era lo de menos, y si su arreglo para la ocasión le insumió más de dos horas no fue por las doce ropas interiores que tenía que ponerse, ni por los bucles, que hacerlos con ese horrible aparato le llevaba más de una hora, sino porque los meses sin ver a don Manuel la tenían nerviosa e indecisa. Por momentos, creía que ya todo estaba terminado entre ellos; y, por otros, temía verlo y cometer una locura, como aceptar su propuesta. Cuando su voluntad tambaleaba, la sostenía el pensamiento de que muchas mujeres tenían por destino el casamiento, pero pocas tenían un propósito sublime como el suyo: preparar niñas argentinas hasta convertirlas en los cientos de maestras que faltaban en el país.

El cochero llevaba esperándolas un buen rato cuando partieron. Dentro del coche, doña María observó a su sobrina: estaba destemplada. Le dio pena, pero no pudo evitar especular sobre lo bonita que la vería Urtiaga. El vestido de seda color crema le sentaba de maravilla, el cabello claro le hacía honor a los rasgos delicados y sus enormes ojos marrones terminarían de aniquilarlo, pensó; aunque meditándolo bien, él ya estaba aniquilado, por algo había vuelto. Pero ¿y Mercedes, qué? Decidió indagar:

—¿Ya sabes qué le contestarás al pobre hombre?

—Ay, tía, deje ya de preguntarme, que me pone más nerviosa.

—Niña, estás que te lleva el diablo. Actúa con coherencia, este es un buen momento y no uno malo —dijo tratando de hacerla entrar en razón.

—Perdóneme, es que esta decisión me tiene a maltraer.

Su tía tenía razón: al fin y al cabo nadie estaba enfermo, ni había muerto. Por el camino consiguió tranquilizarse, pero en cuanto llegaron y vio los ojos grises y la sonrisa seductora, sus razones se desmandaron.

Se saludaron con normalidad. Don Manuel, seguro y aplomado, no dejaba traslucir ningún sentimiento, era pura elegancia y donaire. Mercedes se balanceaba en la cornisa de sus emociones: sus excesivas sonrisas y las manos temblorosas la traicionaban.

Sólo unos minutos después, llegó el gobernador y todos, incluidos los tres hijos mayores del matrimonio Agüero, se sentaron a la mesa, con té, buñuelos y tortas fritas. Allí, entre exquisiteces, hablaron de los progresos de la provincia.

Marcos Agüero se sinceró con el gobernante:

—Tengo que decirle, Gavier, que aunque en un primer momento no me gustó que no fuera yo, sino el Estado, el que hiciera la tasación de mis inmuebles para el pago de los impuestos, ahora lo he aceptado en pos de otros progresos que veo en la provincia.

—¡Oh, sí, gobernador! —exclamó doña Agüero—. La instalación de los teléfonos ha sido algo maravilloso y nos ha cambiado la vida.

La mujer era una de las primeras cordobesas beneficiadas con el servicio.

El gobernador, orgulloso, contestó:

—La provincia está cambiando. Es época de progreso. ¿Y en Buenos Aires, Manuel, cómo están las cosas?

—¿Qué le puedo decir? Si bien los porteños todavía se quejan del presidente Roca por considerarlo el «provinciano invasor», tienen que reconocer que está modernizando la nación. El país entero está creciendo, se extienden los ferrocarriles, se actualizan las leyes, se abren escuelas... —Urtiaga no pudo terminar la frase, el gobernador le preguntó a Mercedes:

—Y hablando de escuelas, ¿cómo está todo por el normal?

—Luchando, señor gobernador, no nos damos por vencidas.

—Así se ganan las batallas, hija. No se amedrenten.

Mercedes sonrió complacida y la charla continuó sobre otros temas.

Una hora después, la dueña de casa llevaba a los invitados a pasear por su jardín para que pudieran admirar sus rosales, que eran famosos en la ciudad; algunas de las especies habían sido traídas en barco desde Europa.

Mientras el grupo paseaba al aire libre, Urtiaga le comentó a Mercedes:

—Me han dicho que está haciendo muy buena labor en el colegio.

—¿Y quién se lo dijo?

—No hay noticia que no llegue a Buenos Aires... Cuando me lo contaron, me llené de orgullo de ser su amigo.

—Gracias. ¿Y usted cómo está? —preguntó ya más distendida; evidentemente, esa tarde la charla no tomaría rumbos peligrosos.

—Muy bien. Mis campos están rindiendo a pesar de que no estoy dándoles toda la atención que requieren. En realidad, lo que ahora se lleva mi tiempo son mis escritos periodísticos para *La Tribuna Nacional*, de Buenos Aires.

—¿Y sobre qué está escribiendo?

—Sobre paz y administración. —La observó para ver si entendía de qué hablaba y continuó—: Que es el lema de nuestro presidente. Lo hago bajo el seudónimo El Halcón.

—Los he leído, no sabía que fueran suyos. En la escuela los hemos comentado con las alumnas.

Se quedó estupefacto: esta mujer siempre lo sorprendía. No sólo trabajaba y ganaba su dinero, sino que ¡le interesaba la política!

—¿Y cuál de ellos han usado?

—El que hablaba sobre la necesidad de que el Estado garantice una paz duradera dentro de la nación para entrar en la libre competencia de la producción.

—No sabía que le interesara la política.

—No se trata de política, doctor Urtiaga, se trata de la construcción del país al que, en realidad, construimos entre todos. Hasta las mujeres... —le dijo y levantó la vista para observar mejor su reacción.

—Tiene razón —admitió y, de manera distendida, comenzaron a charlar sobre el tema del artículo.

Él, sorprendido: no había pensado que ella fuera tan preparada. Ella, asombrada de que su opinión valiera tanto para él. De la cuestión personal pendiente, ni una palabra. Los dos habían callado por miedo a que se perdiera la armonía.

Para cuando llegó el momento de despedirse, don Manuel la miró a los ojos y sin esperar respuesta le dijo:

—Mañana iré a su casa. Dígale a su tía que tenga preparado el mate.

A ella, de la boca no le salió otra cosa que un: «Lo espero». Y al día siguiente, la artimaña de Urtiaga fue la misma: mucha charla, gran gentileza y momentos agradables.

Así comenzó una seguidilla de visitas en su casa, almuerzos en la residencia de los Cárcano, caminatas por el centro y *picnics* en el río que duraron el mes entero que él permaneció en Córdoba; todos, eventos muy agradables, pero siempre con compañía, jamás solos, para no exponer el honor que celosamente se exigía que guardara una mujer decente.

Era rutina que don Manuel, cada día, esperara hasta que ella saliera de su trabajo y luego la visitara en su casa. Allí, Mercedes les contaba a él y a su tía lo acontecido en el colegio. Urtiaga, que preparaba los artículos para el periódico de Buenos Aires, solía comentarlos con ella y escuchaba, atento, sus inteligentes opiniones bajo el ojo escrutador de doña María, que solía dedicarse a bordar en una punta de la sala mientras ellos conversaban.

Pero estas tranquilas actividades –inocentes a la vista de cualquiera– convivían con sentimientos ardorosos y sensaciones volátiles que los invadían cuando menos lo esperaban: Mercedes, viéndolo sentado en el comedor junto a su tía, se preguntaba qué había sido de la pasión que había demostrado en la fiesta de Año Nuevo y por qué ni siquiera había mencionado lo de la propuesta.

Él, viéndose tan quieto en la sala, temía explotar y terminar besándola frente a doña María o gritándole cuándo cuernos pensaba casarse con él.

Se le hacía difícil tenerla cerca muchas horas, pues algunas cosas de Mercedes tenían el poder de torturarlo: sus bucles claros escapando del recogido y acariciando su nuca, el pequeño cuadrado de piel del escote que el vestido le permitía ver y que le hacía imaginar todo lo que la tela le negaba. Y la cintura, ese talle que atraía sus manos como a la abeja la miel y lo hacía vivir obsesionado con tomarla de allí y pegarla a su cuerpo.

Pero también, algo de otra índole lo torturaba: el descubrimiento que había hecho el día que la acompañó a casa de los Falcón. Quedándose un rato con ella en la casucha, viéndola enseñar y con los niñitos alborotados a su alrededor, se le había develado una verdad: sería difícil quitarle la pasión que esta mujer llevaba dentro. Sería difícil que ella se decidiera a dejarlo todo para estar con él.

CAPÍTULO 9

EL PODER DE LA PALABRA

Una palabra hiere
más profundamente que una espada.

ROBERT BURTON

—Estás preciosa —le dijo doña María a su sobrina al verla emperifollada para partir a la fiesta de la Independencia. Cubría su abrigado vestido de terciopelo azul con un gran chal con los colores de la patria. Era 9 de julio y don Manuel, cuya estadía llegaba a su fin —sin habérselo dicho aún a Mercedes–, le había insistido para que fuera junto con su amiga Antonia a la celebración que cada año daba siempre la gobernación. Tendría lugar esa tarde en el Cabildo; habría música, discurso y chocolate caliente con pastelitos.

Mercedes y Antonia salieron temprano, querían pasar primero por la catedral y rezar un rosario antes de cruzar al Cabildo. La semana en el colegio no había sido fácil: un nuevo artículo publicado en el periódico *El Eco de Córdoba* –en el que se criticaba al normal– las había amargado, y Teresa García también había hecho su parte cuando, al cruzarse con su tía en misa, la había azuzado preguntándole: «¿Qué espera Mercedes para renunciar a ese nefasto colegio?». Su tía, ya harta, la había frenado en seco. Al borde de la grosería, le contestó: «¿Qué demonio le importa a usted?». Y esto, fuera del placer momentáneo, le había valido llegar a su casa a punto de desmayarse y con dolor en el pecho.

La situación merecía este rosario. Y más.

Saludando a medida que avanzaban entre la muchedumbre, las jóvenes se daban cuenta de que estaba todo el mundo. De lejos, Mercedes vio a Susi Falcón cargando a su bebé; también a doña Teresa con parte de su prole tras sus polleras; a los Cárcano, a los Agüero, a los Álvarez y a Miguel y Francisquita, quien ya lucía su embarazo; al cónsul Senestrari y hasta al truhán de Alcorta, que se paseaba entre el gentío muy cerca de su recién nacida hija.

Parecía que por un día Córdoba había olvidado sus luchas y divisiones y los dos bandos, el tradicionalista y el liberal, estaban ampliamente representados. Mercedes y Antonia se miraron, no sabían si ponerse contentas por tal actitud o preocuparse de que algún altercado estallase. Eso no sería raro: en más de una oportunidad, tanto agasajos como ceremonias habían terminado en tumulto por culpa de la famosa división.

En cuanto Urtiaga las vio, se acercó a ellas.

—Señoritas... Bienvenidas y... ¡feliz Independencia!

—Gracias, para usted también: ¡feliz Independencia!

—Qué orgullo ser argentino, esta libertad no nos la regaló nadie, nos la ganamos y eso hará grande a este país —dijo don Manuel con el sentimiento patriótico exaltado. Cada 9 de julio era así. Todos dejaban sus actividades y festejaban juntos.

—Don Manuel, leí su artículo sobre la construcción de la patria por los ciudadanos —comentó Antonia—. Me pareció muy claro y motivador.

—Su amiga Mercedes tuvo mucho que ver con él. Allí, vertí algunas de sus ideas.

—No es para tanto, don Manuel —dijo Mercedes, restándole importancia.

Él no le quitaba la vista de encima. Mirando su piel blanca, los enormes ojos marrones y su figura femenina envuelta en el chal celeste y blanco, lo que sentía por ella y por su país hicieron que, ante el embelesamiento, un pensamiento escapara de su boca:

—¡Mercedes, es usted el vivo retrato de la patria!

Mercedes sonrió, no pudo evitar pensar cómo a los hombres se les confundían los amores en un día como este. Pero mirándolo a él, elegante como estaba con su levita negra bien prendida, sombrero de copa de anchas alas y corbata blanca, le temblaron las piernas. Suerte que nadie se daba cuenta, la algarabía era general y había mucha gente. Los alrededores del Cabildo estaban llenos y una gran bandera argentina había sido desplegada sobre el balcón. Se había dispuesto un palco desde donde el gobernador daría su discurso y en el que una banda ejecutaba canciones patrióticas. Bajo las arcadas del edificio, dos enormes mesas armadas con maderas y caballetes, y cubiertas con manteles celestes, estaban dispuestas para entregar y servir pastelitos y chocolate caliente. Un grupo de niñitos repartía escarapelas. En poco tiempo se cantaría el himno y hablaría el gobernador.

Llevaban unos minutos de charla cuando se les acercaron *miss* Armstrong y *miss* Wall, que acababan de llegar. Ambas lucían escarapelas celestes y blancas. Mercedes, al ver el detalle y pensar cuán lejos se encontraban ellas de su patria, tuvo que contener las lágrimas. El clima era festivo, pero, a la vez, emotivo.

Don Manuel se alejó y volvió, ayudado por uno de los jóvenes de la familia Agüero, con chocolate y pastelitos para las cuatro mujeres. Urtiaga, atento, cuidaba de Mercedes; ella lo notaba y le gustaba.

Cuando casi terminaban el chocolate, desde el palco la

banda entonó el «Himno Nacional Argentino» y la multitud se le unió; algunos, los más viejos, lloraban de emoción: hacía sesenta y nueve años que eran libres de España.

Mercedes pensó: «En aquel entonces, tía María era sólo una niñita».

Luego, el gobernador inició su disertación e inteligentemente no tocó temas urticantes, sino que sus palabras fueron loas y honor para la gloriosa Argentina que supo conseguir su libertad.

Al finalizar su discurso, los presentes aplaudieron y él, orgulloso, bajó de la plataforma. Pero cuando se hizo silencio, desde una punta del gentío, un muchachito gritó:

—¡Viva la patria! ¡Vivan los liberales! ¡Viva Roca!

Y desde la otra punta le respondieron:

—¡Viva la santa Iglesia católica, mueran los traidores!

Y un tercer grito se escuchó en lo que comenzaba a ser un silencio sepulcral:

—¡Al pueblo lo que es del pueblo: libertad, educación laica y gratuita! ¡Y matrimonio civil! —remató.

Tres frases hirientes más, lanzadas desde distintos puntos de los alrededores del Cabildo, y el festejo se transformó en un caos.

Un griterío desmandado tomó el control del lugar y hubo empujones, trompadas, mujeres corriendo, niños llorando, hombres peleando y hasta disparos. Las mesas volaron por los aires con pastelitos, bandejas, jarras y sus armazones se convirtieron en armas certeras, que eran asestadas y partidas sobre las cabezas de algunos incautos. Urtiaga, no bien se dio cuenta de lo que sucedía, tomó del brazo a Mercedes y comenzó a guiarla hacia un sitio seguro. Por el camino, un hombre con poncho lo reconoció y le partió una silla en la espalda. Don Manuel se dio vuelta dispuesto a defenderse y Mercedes fue asida de la mano por Antonia, quien le ordenó: «¡Al Cabildo!». Debían entrar; allí estarían a salvo.

Mientras corría, Mercedes vio caer su chal y, al volverse para recogerlo, observó que Alcorta lo levantó. De inmediato, se lo entregó. Al hacerlo, la sujetó con fuerza de la muñeca y no la soltó. Ella tiraba con ímpetu, pero no lograba zafarse. «¡Maldito hombre! —pensó—. ¡Qué quiere demostrar aferrándome en un momento como este!»

Repentinamente, se escuchó un ruido estrepitoso de maderas desmoronándose: ¡el palco, con personas y decorado, se había caído! Mercedes aprovechó la distracción del muchacho y, de un tirón, recuperó su mano; luego, huyó hacia el Cabildo. Cuando traspuso la recova, una puerta se abrió. Era el secretario del gobernador.

—¡Pase, señorita, aquí se guarecieron las otras maestras! ¿Está usted bien?

Asintió con la cabeza.

—Venga, vamos a un despacho.

Lo siguió y, cuando entró, vio que había cinco o seis mujeres más; entre ellas, las dos maestras norteamericanas y Antonia. Su amiga la observó con detenimiento y le preguntó:

—¿Te sientes bien, Mercedes?

—Sí. ¿Y tú?

—También.

En suave murmullo, el grupo de damas empezó a comentar lo sucedido. Desde afuera provenía un estruendo tras otro, un grito tras otro. Y siguió así como por más de media hora, hasta que los ruidos fueron mermando y nuevamente apareció el secretario:

—Señoritas, el jaleo ya acabó. Llegó la guardia y en minutos puso orden y tranquilizó los ánimos. Pueden salir —les dijo y desapareció.

Antonia exclamó:

—¡Mi hermano!

Y Mercedes estuvo a punto de decir: «¡Don Manuel!», y cada una de las mujeres, seguro, pensó en alguien. Y todas, apuradas, se dirigieron hacia la puerta del despacho para salir en busca de sus seres queridos. Ya en el pasillo, vieron a un hombre de levita negra abierta, con la cabeza ensangrentada, que venía corriendo en dirección a ellas.

¡Era don Manuel!

Al alcanzarlas, agitado, consiguió articular:

—Mercedes, por Dios, creí que le había pasado algo.

—Y yo, a usted.

Las mujeres siguieron rumbo a la salida; ellos se quedaron.

—¡Pero mire cómo está! —se conmovió Mercedes. Le sangraban la cabeza y la nariz, y tenía un magullón en la frente. No podía mover el brazo derecho—. Déjeme ayudarlo —dijo. Lo tomó de la mano y lo hizo entrar al despacho. Y arrancándose un pedazo de enagua, comenzó a limpiarlo.

—Mercedes, la vi de lejos... el indeseable de Alcorta la sujetaba del brazo y usted no podía soltarse, me desesperé y, cuando estaba por ir en su ayuda, el palco cayó y el gran lío me lo impidió. ¿Está segura de que se encuentra bien?

—Ya le dije que sí. Aquí el que no está bien es usted —replicó mientras le secaba la sangre de la nariz. Y, al ver el brazo, agregó—: Tal vez debería visitar al médico.

—¿Al médico? Si mañana parto para Buenos Aires —dijo olvidándose de que ella aún no lo sabía.

Mercedes se desesperó. ¿Cómo que se iba mañana y no le había dicho nada?

—¡Usted no se puede ir a ningún lado! ¡Mire cómo está de lastimado!

Urtiaga la observó con detenimiento y sonrió. Acababa de descubrir el porqué de su alteración y pensaba aprovecharlo.

—No se preocupe. Ahora que la tengo cerca, todos mis

males se curarán rápido —respondió y se pegó aún más a ella—. Si ese tipo le hacía algo, yo... yo lo mataba con mis propias manos —afirmó con sinceridad. La cara desfigurada de odio volvió a suavizarse al observar los ojos de la joven. Y continuó—: Mercedes, mis sentimientos por usted me están volviendo loco. Sueño despierto y dormido con... —Le tomó el rostro con las manos—. Con... que hago esto.

Y la besó... la besó... y la besó. Y el piso del Cabildo tembló para los dos.

Mercedes se dejó llevar. Sí, esto era lo que quería. La correntada la arrastraba. No existían peleas, no existía el normal, no existían los alumnos, no había recato, ni asomaban las prohibiciones de su tía. Todo se derrumbó.

Esta vez fue él, con esfuerzo y muy a su pesar, quien se separó de ella y, mientras todavía la tenía entre sus brazos, le dijo:

—Mercedes, cásese conmigo, deje todo, venga a Buenos Aires y sea la señora de mi casa.

Ella lo miró: los ojos grises llenos de fuego, el cabello oscuro, la valentía en la mano lista para matar al que la lastimara... y le contestó...

—¡Sí!

Volvieron a besarse. Hasta que Mercedes pensó que se estaban pasando del límite y se separaron. Juntos, y de la mano, caminaron rumbo a la puerta principal del Cabildo. Debían salir.

Al llegar a uno de los patios internos, se toparon con las primeras personas y ella, de un respingo, se soltó de la mano de don Manuel, que, sonriendo, la consoló:

—No se preocupe: que digan lo que quieran, total, pronto será mi esposa y mi mujer.

Y la frase «pronto será mi esposa» resonó en la cabeza de Mercedes.

Ya en la calle, encontraron a Antonia y a su hermano; el muchacho tenía algunos raspones, como casi todos los hombres que habían participado en la trifulca.

—Vamos, Álvarez, llevemos a las chicas a sus casas.

Y comenzaron a marchar. Harían el trayecto a pie, no era tan lejos y coche... no se veía ninguno. Ni siquiera pasaban los tranvías. El lío había sido grande.

Cuando la dejó en la puerta era casi de noche. Deseaba besarla de nuevo, pero si doña María, que no sabía nada del pronto matrimonio, los veía, o si algún vecino reparaba en ellos, arruinaría el honor de su futura esposa, y él no quería eso, así que se contuvo. Bastante habían hecho caminando juntos, y solos, ese último trayecto; los hermanos Álvarez se habían quedado unas cuadras atrás. Se acordó del alboroto que había provocado *miss* Wall al dejarse acompañar una noche por su prometido y una amiga hasta su casa, y decidió que lo mejor era despedirse rápido.

—Mañana vendré temprano y comenzaremos a organizar nuestra boda. No debemos perder tiempo —anunció con premura y recordó—: Yo tenía que volver urgente a Buenos Aires. Tendremos que viajar ya casados... como máximo, en diez días.

«¡Diez días! ¿Y el colegio? ¿Y mis alumnas? ¿Y mi palabra dada? ¿Y el contrato?» Sintiendo que su cabeza estallaría, le dijo:

—Don Manuel, mañana nos vemos y hablamos.

—Mercedes... yo la amo. No se olvide.

La joven sonrió, le dijo «Adiós»; y él, desde la calle, le gritó:

—Vaya anticipándole las noticias a su tía... Y si ella quiere, también se viene a vivir a Buenos Aires con nosotros.

Lo saludó con la mano y entró a su casa.

Cuando ingresó a la sala, su tía la esperaba. Se tendió exhausta en el sofá. La tarde había sido agitada y tenía mucho para contarle.

A la mañana siguiente, muy temprano, antes de que Mercedes saliera para su trabajo, don Manuel ya estaba en la casa: la sonrisa blanca y perfecta pegada al rostro, la felicidad inundándolo. Al final, conseguir el sí de Merceditas sólo le había costado unos magullones y un brazo quebrado. Por lo menos, eso le diagnosticó el médico, y ahora lo llevaba en un cabestrillo.

—Siéntese, don Manuel, tenemos que hablar.

—Sí, hay mucho para organizar. ¿Y su tía no vendrá?

—Por ahora, no. Está en su habitación.

—Entonces, tal vez, yo aproveche —dijo acercándosele. El recuerdo de los besos de la tarde anterior casi no lo había dejado dormir durante la noche.

Ella se alejó, no permitió que se le aproximara; y, en ese gesto, él lo descubrió. Las cosas habían cambiado. Mercedes no estaba igual. ¿Acaso se echaría atrás y le diría que no habría boda?

—¿Pasa algo, Merceditas?

—Sí… no me puedo casar con usted.

—¿Por qué? —Se desesperó y las piernas le flaquearon. Ella no le contestó; él insistió:

—¡¿Por qué?!

—Porque no puedo dejar mi compromiso con el normal, mi vocación, mis alumnas, mis sueños, mi vida… Dejar todo por…

—¿Por casarse conmigo? ¿Eso quiere decir? —Se indignó.

Esto era demasiado. No podía jugar con él de esta manera—. ¿Quiere decir que no puede dejar tantas cosas importantes por algo tan insignificante como casarse conmigo?

—No... no es eso.

—Dígame, entonces, qué es... porque no la entiendo... ¡Contésteme! ¿Qué es más importante: yo o su colegio? —La tomó por los brazos como pudo, su cabestrillo le impedía hacerlo con fuerza, pero quería zamarrearla. «¡Chiquilla caprichosa!», rumió, y le insistió con un grito—: ¡Contésteme, Mercedes!

—Don Manuel, yo no puedo dejar el colegio; he dado mi palabra. Tengo un contrato. Mis alumnas se quedarían sin maestra. El colegio no está fuerte, aún pueden cerrarlo y dejaría de existir.

Urtiaga se desmoronó. Por unos instantes, bajó la cabeza, se sentó y se hizo un silencio incómodo. Luego, se paró de golpe y le dijo:

—No me explique más. Ya entendí. Yo no tengo nada que hacer aquí. —La imponente figura caminó hacia la puerta y, antes de girar el picaporte, agregó—: No se preocupe, ya no me verá más. No la seguiré importunando. Adiós.

Desde la ventana, Mercedes lo vio alejarse y sintió que se partía por dentro. Se tomó la cara con las manos para ocultar las lágrimas. Doña María apareció y, al observarla y sospechar lo que su sobrina acababa de hacer, pensó que tendría mucho trabajo por delante con la niña y mucho amor por darle. Se acercó y la abrazó.

A partir de ese día, cada noche Mercedes se acostó llorando y pensando si habría elegido bien al decidirse por su profesión, o si debería haber dejado todo para seguirlo.

Pero al correr los días, si bien continuaba extrañando y amando a don Manuel, la confianza y la paz de saber que su decisión había sido la correcta la envolvieron. Y comenzó a vivir y a respirar por y para el normal.

Pasaba allí más horas de las que le correspondía. Preparaba más y mejor los temas. Les dedicaba visitas extras a las alumnas que sabía que la necesitaban. Y su inagotable caudal de amor, conocimiento, energía y tiempo fue para las niñas. Sin saberlo, en el aula, Mercedes nutría de sus cualidades a la jovencita que, años después, sería la directora argentina del normal.

Tampoco sabía lo pronto e inesperadamente que volvería a ver a don Manuel.

CAPÍTULO 10

LA DULZURA DEL TRIUNFO

> *Los obstáculos no son más*
> *que un condimento del triunfo.*
>
> MARK TWAIN

Una mañana, en uno de los recreos, mientras ella y Antonia tomaban sol en el patio, se les acercó risueña *miss* Wall y les dijo:

—Tengo dos cosas que contarles. La primera es para ti, Mercedes: el señor Ellis, del Observatorio Nacional, te envía sus saludos. ¡Bah! En realidad, cada día me insiste con ellos. Y la segunda y más importante... es que en dos meses el señor Thome y yo nos casamos. —Y al ver la cara de las dos maestras, agregó—: Pero no se preocupen, el colegio seguirá adelante. El gobierno ya nombró a mi reemplazante y pronto estará entre nosotras.

—¿Quién? ¿Cuándo? —preguntaron las dos jóvenes.

—Otra norteamericana: Jennie Howard. Una mujer estupenda. Llegará a fin de año para comenzar el próximo ciclo escolar.

—*Miss*, la extrañaremos —dijo Antonia.

—Yo estaré en Córdoba y usaré mi casa para toda clase de eventos sociales en los que podré poner a los cordobeses de nuestro lado. Recuerden que seré la esposa del director del Observatorio Nacional; y eso ayudará.

—*Miss*, nosotras la queremos, y lo que la haga feliz ¡será lo mejor! —exclamó Mercedes, que, en estos dos años, había llegado a construir con ella una verdadera amistad. En realidad, las directoras, las maestras y las secretarias que allí trabajaban se apreciaban y eran incondicionales unas con otras, sin importar la nacionalidad, ni la religión. Eran mujeres, eran jóvenes y tenían una meta en común que las unía entrañablemente. Y por ello, todas echarían de menos a *miss* Wall.

Pero el día del casamiento llegó y, con él, también los eventos sociales que había prometido: durante años, su casa «de la colina» —como se la llamaría— estaría abierta para los que quisiesen visitarla, y en ella siempre se defendería al normal. Famosos serían sus *five o'clock teas* de los viernes en los que brindaría su mejor repostería casera y alabaría la labor de las maestras de la escuela que ella tanto amó.

Y en la fecha prevista arribó a la provincia *miss* Jennie, la nueva vicedirectora. Si bien su carácter distaba de ser extrovertido y vibrante como el de *miss* Wall, su forma de ser, pacífica y sosegada, más de una vez sería necesaria en los años turbulentos que le quedaban por enfrentar al colegio.

Y con los calores del fin de año también llegó una circular del gobierno: debían aumentar las precauciones de higiene. La fiebre amarilla se extendía por todo el país y su marea cobraba numerosas vidas. Mercedes ya había escuchado de boca de algunos paisanos que, tierra adentro, existían casos de cólera, y se le erizó la piel al enterarse; la anterior epidemia de esa enfermedad se había llevado la vida de sus padres. Rogó a Dios que la peste no volviera a pisar su casa, ni su escuela, ni su tierra. Sin embargo, no imaginaba cuán imposible sería.

Para el próximo año, las maestras se plantearon varios desafíos: se mudarían a un nuevo edificio, la escuela dejaría de funcionar en tres casas particulares y comenzaría a hacerlo en una grande, cedida por el gobierno, frente a la manzana jesuítica. ¡Sus vecinos serían la iglesia de la Compañía de Jesús y el Monserrat! ¡Sus eternos enemigos! No sabían si ponerse contentas por la belleza del edificio o prepararse para la lucha encarnizada que librarían debido al lugar donde estarían asentadas.

Esa mañana, mientras meditaba sobre qué les depararía el futuro, veía a las alumnas tomar su clase de gimnasia al aire libre y se sintió feliz. En esos casi dos años habían logrado que la sociedad aceptara que la mujer podía hacer ejercicio y que nadie las criticara por ello. Ya no necesitaban encerrar a las chicas en un aula. Sonrió; una pequeña batalla ganada.

Miss Armstrong se acercó.

—¿Qué miras con tanta alegría?

—El triunfo que conseguimos.

La norteamericana también sonrió y observó a las muchachas; sabía bien a qué se refería. Y le dijo:

—Mira, aquí hay otra victoria más: el gobierno llama a las maestras a Buenos Aires; quiere agradecernos por la labor de estos dos años. Aquí está la carta —dijo extendiendo la esquela.

Mercedes la tomó y la leyó con interés. Luego exclamó:

—¡Qué agradable premio que la Presidencia valore nuestra tarea! ¿Viajaremos todas?

—Sí. Seremos un grupo bastante numeroso, el gobierno también quiere premiar a los trabajadores del Observatorio Nacional. Allí nos encontraremos todos. Gracias al cielo, el evento será después de que terminen las clases, porque ir ahora hubiera sido imposible.

Cuando la directora se retiró, Mercedes se quedó pensando en los cinco meses que llevaba sin ver a don Manuel. Tal vez lo vería en Buenos Aires. ¿Qué sería de él? ¿Se habría consolado y tendría una nueva prometida?

La fiesta de finalización de clases estuvo particularmente emotiva debido a la despedida de *miss* Wall del establecimiento, pero un segundo año completado y las alumnas, que seguían firmes, hicieron que todas se sintieran exultantes y agradecidas. Si bien la lucha entre la Iglesia y el sector liberal persistía, luego de que el gobierno despidiera al representante papal, se había instalado cierto temor en el ambiente; el Estado argentino parecía haberse transformado en un ser corpóreo dispuesto a defenderse ante la agresión de quien osara lesionarlo. Tras expulsar al enviado apostólico, el ministro de Relaciones Exteriores había escrito un informe para los cuerpos diplomáticos extranjeros en el que declaró: «El Poder Ejecutivo no quiere en este país otro soberano que el pueblo que lo habita».

El Estado había pasado a una fase adulta y dejado atrás el candor de una acabada adolescencia.

El viaje a Buenos Aires se organizó al detalle; lo harían por tren. Saldrían desde Córdoba, irían hasta Rosario y desde allí tomarían la recientemente inaugurada línea férrea que unía la ciudad con la capital porteña. Se sentían agradecidas; si el ramal no hubiera sido abierto ese mes, en vez de los dos días que tardarían, les hubieran esperado, por lo menos, veinte largas jornadas viajando en galera.

Doña María le había dado tantas recomendaciones, que Mercedes ya no recordaba ninguna. Primeramente, había insistido en que sólo viajaría si iban mujeres. ¡Como si en

Buenos Aires no hubiera hombres! Y luego le había pedido explícitamente a *miss* Armstrong que fuera su chaperona oficial. La mujer opinaba que la capital era una ciudad peligrosa y mundana, con poca gente dada a lo espiritual. Mercedes, que no deseaba sumarle otra preocupación a su tía, evitó comentarle que allá se encontrarían con el grupo de científicos norteamericanos del Observatorio, que, a Dios gracias, llegaría otro día, y que vería a ese tal Ellis que siempre le enviaba sus saludos.

El viaje fue cansador y caluroso. Hicieron noche en Rosario, pues el tren sólo viajaba de día. Y durante su marcha, como no tenía retretes, cada largos intervalos se detenía y los hombres descendían por un lado, y las mujeres, por el otro. Pero lo que más horrorizó a las maestras fue que una vez que bajaban, ante ellas sólo se desplegaban grandes extensiones de llanuras sin ni siquiera un arbusto que les diera un poco de la necesaria privacidad para estos menesteres. No obstante, a los demás no parecía preocuparles demasiado y lo cierto era que la emoción que les producía el viaje subsanaba cualquier contratiempo.

Cuando llegaron a Buenos Aires, se hospedaron en la pensión Santísima Trinidad, de doña Josefa, mujer estricta que las cuidaba como a sus propias hijas. La ciudad era grande y mundana y ellas, acostumbradas a su religiosa y rígida Córdoba, no podían creer tantas licencias y atracciones. Las construcciones modernas abundaban ¡y eran tan europeas! Mercedes quería aprovechar el tiempo, los ojos no le alcanzaban para ver tantas maravillas; ni los minutos, para disfrutarlas; sólo estarían dos semanas.

Sus días en la capital los pasaron de visita en casas de amigos y de paseo por las tiendas; también fueron al teatro y a cenar a distinguidos restaurantes. Y se hicieron nuevas amistades. Mercedes y Antonia comentaban que los sinsabores que habían soportado en su trabajo bien valían la pena por esta experiencia que ahora les permitía disfrutar de la ciudad. ¡Había tanta gente joven! ¡Había tantos vestidos y sombreros bellos! ¡Tanta luz en la calle! ¡Y tantos negocios!

Mercedes preguntó a algunos conocidos por don Manuel y le informaron que el hombre seguía en la política, apoyando al presidente, que los artículos que publicaba en el diario eran famosos hasta en el exterior, y que ahora se encontraba entregado a un proyecto nuevo: escribir un libro. Alguien le confió que se lo solía encontrar junto al presidente en las reuniones, puesto que el mandatario lo consultaba periódicamente.

Ella opinaba que era una pena que no lo hubiera podido ver. Sin embargo, se contentó pensando que, tal vez, fuera mejor así. Él, seguramente, sabía que ella estaba en la ciudad; todo Buenos Aires sabía que estaban las maestras. No obstante, no había movido un dedo para verla. Y eso la decepcionaba.

Al llegar al penúltimo día de su estadía, mientras se preparaban para participar del acto durante el cual el gobierno les entregaría el diploma de reconocimiento por la labor desarrollada en sus respectivas escuelas, las maestras se encontraban satisfechas. Estarían presentes el ministro de Educación y muchas personas importantes de la ciudad de Buenos Aires. Luego, la comitiva sería agasajada con una cena que se ofrecería en un importante restaurante porteño.

Cuando Mercedes y Antonia entraron al salón de la Casa de Gobierno donde se llevaría a cabo el acto, ninguna de las dos podía creer tanto lujo, tanta gente presente y tanta cultura.

—Te dije que era importante lo que hacíamos —le susurró Antonia, en broma, al oído.

La directora y sus cuatro maestras se sentaron en las sillas especialmente dispuestas para las invitadas, frente al estrado. A su lado, había un grupo de maestras del colegio normal que funcionaba en San Luis y otro del que existía en Rosario. Un hombre comenzó la reunión con palabras alusivas al gran país que se estaba construyendo. Y luego, cuando el ministro habló, grande fue la emoción porque, tras la entrega de los diplomas, hubo hermosas palabras de elogio y agradecimiento para el trabajo que las mujeres realizaban. Al terminar, el funcionario dijo:

—El presidente de la república se encuentra muy feliz y satisfecho por la labor que ustedes realizaron. Reconoce, sin dudas, que en la continuidad de su trabajo radica el desarrollo y el crecimiento del país. Por tal razón, ha enviado un mensaje especial de su parte, que nos ha traído un buen amigo y fiel colaborador. Los dejo con el doctor Urtiaga. ¡Adelante, don Manuel!

Mercedes no lo podía creer. ¿Cómo no lo había visto antes? ¿O había llegado recién? Observó cómo su figura imponente subía al estrado y creyó morir.

De lo que dijo, no escuchó ni una palabra, pero de él no se perdió detalle. Iba elegante, como siempre: chaqueta negra, camisa blanquísima de cuello alto que, a su alrededor, lucía una cinta negra de varias vueltas que terminaba en moño. Llevaba el cabello más largo, como indicaba la moda. Le pareció percibir que, mientras leía, cuando levantaba la vista, la había observado en un par de oportunidades. Ella estaba inmóvil, pegada a su silla, casi ni respiraba.

Para cuando terminó de hablar, Mercedes ya tenía una decisión tomada: se acercaría a él y lo saludaría. No había por qué tenerse resentimiento; además, quería saludarlo y verlo de cerca.

Finalizado el acto, comenzaron las charlas distendidas. Las maestras de Córdoba, más las colegas de las escuelas de San Luis y Rosario, lo hacían con los miembros de la comitiva de científicos del Observatorio Nacional. Mercedes discutía acerca de unos puntos del programa escolar cuando sintió una voz familiar que le dijo:

—Felicitaciones, señorita Castro, ya veo que su carrera va en ascenso.

Se dio vuelta, el corazón le palpitaba con fuerza. ¡Era Urtiaga!

—Don Manuel... Gracias. ¿Cómo está usted?

—Muy bien, gracias. Me imaginé que la vería aquí. Lamento importunarla, sólo vengo a cumplir con mis deberes de anfitrión. ¡Señores, síganme, los carruajes que nos llevarán al restaurante nos esperan!

Un nuevo bullicio se hizo eco y todos lo siguieron. Ya fuera, mientras subían a los coches, él se acercó a Mercedes y le deslizó un comentario.

—Veo que sigue frecuentando la misma compañía —dijo mirando en dirección a los muchachos norteamericanos; más precisamente, a Ellis. Y sin esperar contestación, la ayudó a subir mientras él se fue en otro coche.

Mercedes estaba entre enojada y sorprendida, él no le había permitido meter un bocadillo, ni una sola palabra.

En el restaurante ya los esperaban. Habían armado una gran mesa, pues eran muchos, hasta el ministro estaba allí. Don Manuel se sentó cerca de la comitiva de Córdoba, incluidos los norteamericanos.

Los mozos trajeron los elegantes libros de menú y comenzaron a anotar los pedidos.

—Señoras, ordenen ustedes primero, por favor —exclamó galante don Manuel.

Mercedes lo veía moverse como pez en el agua; evidentemente, él era habitué de lugares como este, pero actuaba con una arrogancia que ella le desconocía.

—¿Y usted qué nos recomienda? —preguntó *miss* Armstrong.

—Las pastas rellenas son excelentes —contestó Urtiaga con seguridad.

Ellis tuvo el mal tino de dirigirse a él en busca de consejo.

—Y de carnes... ¿qué nos aconseja?

Una chispa de malicia brilló en los ojos de don Manuel y le dijo:

—Si quiere carne, por qué no pide algo típico, como el puchero de cabeza que está en la carta.

—Pero tengo entendido que el puchero es... —Ellis quiso decir «de pobre», pero no se animó.

—Es una de nuestras comidas más típicas, a todo argentino le gusta, aunque tal vez a usted no le gustan nuestros platos.

—¡Por supuesto que sí! Todas las comidas argentinas me gustan. Lo pediré —dijo más por compromiso que por convencimiento.

Durante el tiempo que duró el entremés, don Manuel la ignoró; y ella, irritada, hizo lo mismo. Además, no le gustaba lo que le estaba haciendo al desprevenido Ellis. Ya se imaginaba Mercedes lo que vendría en minutos.

Cuando los *garçons* llegaron y repartieron los platos, la impresión casi desmaya a Ellis y a las señoras. Frente al desafortunado norteamericano sirvieron una gran fuente de papas, cebollas, zapallo y garbanzos hervidos coronados por... ¡una tremenda cabeza de oveja! de ojos vidriosos y boca abierta que mostraba los dientes en una triste sonrisa.

Algunas de las mujeres exclamaron: «¡Qué espanto!».
Y don Manuel inquirió:

—¿Qué pasa, amigo? ¿No le gusta?

—No... sí, por supuesto. Sólo que tengo que ver por dónde comenzar.

—Quédese tranquilo, los ojos no se comen. Salvo que quiera.

Mercedes lo fulminó con la mirada. ¡Esto era el colmo! ¡Hacerle eso al muchacho!

La cena siguió en medio de charlas sobre el progreso de la educación y las múltiples actividades que ofrecía Buenos Aires. Y el pobre Ellis comió lo que pudo, mientras las señoras, con disimulo, evitaban mirar la desagradable cabezota. Pero Mercedes y don Manuel no intercambiaron palabra. Terminada la cena, el grupo partió en los carruajes.

Al llegar a la pensión, Urtiaga ayudó a bajar a las mujeres. Cuando le tocó el turno, Mercedes encontró la oportunidad para dirigirle unas palabras de reproche. Sin contenerse, le dijo:

—Qué desagradable se ha mostrado esta noche, don Manuel. No le conocía esa faceta.

—Hay muchas facetas mías que no conoce, pero no se preocupe, que ya no las conocerá. Aunque algunas de ellas, estoy seguro, la hubieran hecho muy feliz.

Se alejó un poco de Mercedes y saludó:

—Señoras, que tengan buenas noches, nos vemos en su próxima visita a Buenos Aires. Adiós. —Hizo un gesto galante con su sombrero, se subió al coche y partió.

Las maestras quedaron encantadas con la reunión, con el diploma y con las semanas pasadas en Buenos Aires. Pero el encuentro con Urtiaga a Mercedes le aguó la felicidad. Verlo le había removido sus sentimientos: «¡Pensar que en este mismo momento podría ser mi esposo!», se lamentó. Sin embargo, en lugar de un marido, se encontró, casi, con un enemigo. Esa cavilación, recurrente, la abatió durante el viaje y ensombreció las semanas de vacaciones que le quedaban.

Para don Manuel, la noche no había sido mejor. Se sentía un poco culpable, el *yankee* había lidiado con la cabeza hervida toda la noche, simulando que comía lo que no quería comer. Al fin de cuentas, entre el muchacho y ella no había nada; eso era evidente. Deseó haberse comportado de otra manera y disfrutado de la compañía de Mercedes, pero ¿para qué? Era infundirse esperanzas que no tenía. Ya no vería más a la chica.

Mercedes, a su regreso, le contó a doña María lo que había hecho Urtiaga con el *yankee* y su tía, lejos de horrorizarse, lo defendió:

—Hijita, ese hombre todavía te quiere.

—Pues qué forma tan extraña de demostrarlo.

—Y para qué quieres que te lo demuestre de la otra forma, si tú lo rechazas.

Mercedes se encogió de hombros, haciéndose la desentendida. Pero su interior había estallado en una respuesta: «¡Para saber con certeza que su corazón aún me pertenece!».

No podía siquiera imaginar qué oscuros acontecimientos de vida o muerte le darían tal certeza.

CAPÍTULO 11
¡VETE, DESGRACIA!

Nadie es tan joven que no pueda morir hoy.

FRANCISCO PETRARCA

Durante gran parte de esas vacaciones, las maestras argentinas y las norteamericanas se dedicaron a renovar y arreglar
el nuevo local donde funcionaría la escuela. Mucha de la
tarea la hicieron con sus propias manos. Era habitual ver ese
verano a *miss* Armstrong, o a Mercedes, o a cualquiera de
ellas, con un gran pincel en la mano, las faldas recogidas y
un ayudante llevando el latón de pintura blanca de un lugar
a otro. Trataban de adaptar el establecimiento, que había sido
un confortable hotel, a las necesidades de funcionamiento de
una escuela normal.

Después de mucho trabajo, vieron con gran satisfacción
los salones limpios, blancos y aireados, con los muebles ade-
cuados, listos para funcionar, aguardando a las muchachas;
ese año esperaban que el número de estudiantes aumentara.

Pero a pesar de la nueva construcción, cuando las clases
comenzaron, la cantidad de alumnas no aumentó. El sentimiento rencoroso nacido de la prohibición de la enseñanza
religiosa todavía no se había superado. Y la división que
Córdoba sufría, aunque el normal iniciaría su tercer año
lectivo, seguía desagarrando a la sociedad, incluido el cole-

gio. «¿Cuándo acabará la pelea? ¿Acabará alguna vez?», se preguntaba Mercedes, que tantos sueños y tanta vida había dejado en esa institución.

No obstante, la actividad del normal debía continuar y para ese año la directora y las maestras se habían propuesto alcanzar nuevas metas. Querían desterrar las lecciones de memoria. Los alumnos estudiaban palabra por palabra, coma por coma y punto por punto. En época de examen, caminar por las calles de Córdoba se parecía a hacerlo por un hospicio de locos. Todos practicaban en alta voz textos enteros creyendo que nunca los aprenderían de otro modo.

También deseaban erradicar una anquilosada costumbre: que los alumnos fueran examinados por gente ajena al establecimiento y de manera pública frente a padres, compañeros y visitantes. Este sistema, como docentes normalistas, les parecía injusto y cruel. Más parecido al circo romano que a otra cosa.

Poco a poco, y con mucho esfuerzo, lograron encarrilar la educación en el camino correcto. En ese sentido, fue un año de triunfos.

Una mañana de exámenes, *miss* Howard, la nueva vicedirectora, sostenía una charla profunda con Mercedes.

—Me imagino que extrañan a *miss* Wall —dijo *miss* Jennie.

—Sí, ella era bastante especial —contestó melancólica Mercedes. La ausencia de su buen humor y risa fácil se hacía sentir más de una vez en el colegio.

—Espero trabajar con el mismo amor y ahínco... para que me quieran igual.

—Todas ustedes hacen muy bien su labor. No tengo la menor duda de que usted también lo hará.

—Gracias por su confianza, Mercedes.

—Disculpe, *miss* Jennie, pero… ¿puedo hacerle una pregunta personal? —la interrogó Mercedes, tras observarla con detenimiento. La norteamericana era sólo dos años mayor que ella.

—Sí, adelante.

—¿Qué es lo que motiva a una persona como usted a venir a este país, tan lejano y, en cierto sentido, primitivo? Sé que ustedes dejaron muchas comodidades por estar hoy aquí.

La mujer sonrió y, por unos instantes, su mente pareció estar muy lejos de allí. Luego le contestó:

—Podría decirle que han sido muchas cosas, pero puedo resumirlas en dos. Una es mi vocación de maestra, que me lleva, y me llevará, donde esté el hambre del saber y la necesidad de conocimientos. Y la otra… cuando se es joven, se tiene sed de aventura. ¿No le parece?

—Es verdad —reconoció—: abrir este colegio es una verdadera aventura.

—Aunque no es sólo esta empresa lo que me tiene en Argentina. Yo ya amo entrañablemente a esta nación y difícilmente me vaya de aquí. Este país, de a poco, se va convirtiendo en el mío.

Para Mercedes, esta respuesta fue reveladora de la personalidad de *miss* Jennie. A partir de allí, comenzó una amistad profunda que duraría tanto como los largos años que la norteamericana viviría en la Argentina.

Las horas de estudio crecieron y el año escolar avanzó, pero algo lo enturbió de manera fatal: el cólera había vuelto a la Argentina. Se decía que en Buenos Aires moría mucha gente, sobre todo, entre las clases más bajas. Y que la clase alta había dejado sus casas del centro para ir en busca de la pureza y el aislamiento que brindaba el campo.

La peste no tardó en hacer su entrada en la ciudad de Córdoba.

Doña María extremó los cuidados y con sus precauciones volvió locos a los criados. Las sábanas y la ropa blanca se hervían. Los utensilios de cocina se limpiaban dos veces en agua hirviendo. Las manos se lavaban varias veces al día. Y la casa se desinfectaba entera. Pero había una verdad: cuando la peste entraba, no había forma de detenerla.

En la escuela se dio un curso sobre cómo aplicar los primeros auxilios y se barajó la posibilidad de suspender las clases. Sólo esperaban una orden del gobierno; sin embargo, cuando al fin llegó, la vida de muchos niños y ancianos ya se había perdido. La ciudad de Córdoba comenzó lentamente a vaciarse; cada día, una nueva familia partía al campo. Y era común, a ciertas horas, ver las calles solitarias. Un clima de desgracia llenó el lugar. Y los comentarios, nada alentadores, aseguraban que en Rosario y otras ciudades argentinas la mortandad era peor.

Mercedes, eximida de cumplir con su trabajo, disponía de tiempo libre que ocupaba ayudando en algunas viviendas de conocidos atestadas de enfermos; lo hacía a escondidas de su tía, que se lo había prohibido. Pero las cosas cada día estaban peor. A varias familias amigas, la muerte les había tocado la puerta de sus hogares: el pequeño hijo de Francisquita y Miguel había muerto de cólera.

Para Mercedes, enterarse de que el niñito había sido alcanzado por la peste fue una puñalada. Era el primero que moría y que ella conocía personalmente. Unos días después del fallecimiento de la criatura, ella y su tía realizaron una visita de condolencia. Fueron vestidas de negro, con sombreros y abanicos del mismo color. Cuando llegaron, las hicieron pasar a la sala, donde la belleza y la alegría se habían extinguido; las alfombras estaban cubiertas de paño negro, al igual que el piano, los cuadros y los muebles. El instrumento musical no sería ejecutado por dos largos años.

No tardó en aparecer Francisquita; quebrada por el dolor, iba de rigurosa túnica oscura y un denso velo sobre la cara. La lobreguez en el comedor era tan espesa que ellas casi no podían distinguirse a pesar de ser recién la media tarde. La joven madre, con sus escasos veinte años, según la costumbre del luto, viviría así por un par de años más.

El cólera no perdonaba.

Una noche percibieron un grito estremecedor, el mismo que escucharían cada medianoche por la ciudad, durante bastante tiempo:

—¡Saquen a sus muertos! ¡Saquen a sus muertos!

Era el cochero del carro que recogía los cadáveres. El gobierno lo había dispuesto así para evitar un mayor contagio.

Mercedes seguía yendo a casa de los Falcón una o dos veces a la semana y le ayudaba a la pobre mujer a desinfectar la vivienda. La última vez había llevado a Eulogia, su criada, para que colaborara.

Esa tarde, mientras se preparaba para visitarlos, su tía le dijo:

—Mercedes, es tiempo de que nos vayamos al campo.

—¿Pero a qué campo?

—Honoria Cárcano nos ha invitado infinidad de veces a su casa de San Francisco del Chañar. Ellos nos están esperando.

—Ya lo hemos hablado: yo prefiero quedarme. ¿Por qué no va usted?

—¿Y dejarte sola? Ni loca. Si vamos, vamos las dos; y

si nos quedamos y nos morimos, pues que partamos juntas ante Dios.

—¡Ay, tía, no sea tremendista!

—¿Tremendista yo? ¿No has visto lo que pasa fuera? Piénsalo: sólo sería una temporada. Comentan que la casona de San Francisco del Chañar es muy bella. ¡Y ya deja de ir tanto a lo de los Falcón!, que el gobierno ha dicho que hay que juntarse lo menos posible con amistades para evitar los contagios.

—Tía, voy unas horitas con Eulogia. A la vuelta, hablamos y decidimos lo del campo.

—Ve y vuelve pronto, ¡que no hay un alma en la calle!

Las dos mujeres partieron en el tranvía a caballos. Cuando llegaron, el cuadro que encontraron fue perturbador. No se oían voces en la cocina, lo cual era extraño en una casa de once niños. Susi las recibió en la pequeña sala que se veía revuelta.

—¡Maestra Mercedes, qué desgracia! Casi todos están enfermos, hasta mi madre —dijo llevándolas al cuarto y señalando a los pequeños que estaban en las camitas; y a la madre, en otra. Y agregó en voz baja—: Tengo miedo... de que les pase algo.

—¡Oh, Susi! ¿Por qué no me avisaste?

—Es que esto empezó antes de ayer, con mamá... Y desde entonces no ha parado.

Por la ventanita desvencijada que daba al patio se podían distinguir dos niños jugando. Susi, al ver que Mercedes miraba hacia fuera, comentó:

—Sólo Isabel y Marcos están sanos. Y gracias a Dios, también mi bebé.

Y alzando de la camita a su hijita de un poco más de un año, la apretó contra ella. Mercedes las observó, la jovencita lucía exhausta.

—Susi, estamos aquí para ayudar. ¡Comencemos ya mismo!

Durante horas se dedicaron a cambiar sábanas, desinfectar utensilios, lavar trastos y atender enfermos. Constantemente les daban agua para evitar que se deshidrataran.

Mercedes veía que el trabajo era demasiado para la niña; cuando partieran, ella sería la única persona disponible para cuidarlos.

—Necesitas ayuda. Tú sola no puedes atender a tantos.

—Pero, señorita, ¿quién lo haría? Además, yo puedo hacerlo, no se preocupe.

—Mira, se está haciendo de noche y debemos irnos, pero nos llevaremos la ropa sucia y mañana temprano vendremos de nuevo, conseguiré medicinas y traeré toallas y sábanas limpias. Esta noche descansa unos minutos, al menos.

—Gracias, maestra... Gracias, Eulogia —dijo mirándolas con lágrimas en los ojos.

Ya estaba en la puerta, a punto de marcharse, cuando Susi le confesó:

—Dicen que esta peste mata... Tengo miedo, señorita Mercedes.

—No te preocupes, pequeña, mañana estaremos aquí y todo estará bien.

De camino a su casa, Eulogia, atribulada, sentenció:

—La desgracia ha llegado a los Falcón, el cólera morbo no perdona.

—Lo sé, roguemos por un milagro —le contestó ella y se persignó.

Al llegar a su hogar y contarle a su tía lo sucedido, Mercedes fue puesta en una tina con agua hasta la coronilla y desinfectada como si fuera un utensilio más de la casa; y lo mismo se hizo con Eulogia. Y toda la ropa que trajeron se hizo hervir.

Doña María intentó en vano hacerla desistir:

—No juegues con fuego. Ten cuidado, que es peligroso pasar tanto tiempo entre enfermos.

—¡Si no la ayudo, ¿quién lo hará?! Sólo serán un par de días y después... ¡Usted gana, prepare las cosas, que nos vamos al campo! —No podía continuar renegando con su tía. Además, ella tenía razón: debían marcharse. Ya casi no quedaba gente en la ciudad.

—¡Gracias al cielo has entrado en razón! ¡El fin de semana nos vamos a San Francisco! —dijo aliviada su tía.

Con la primera claridad del día, Mercedes partió junto a Eulogia a la vivienda de los Falcón.

Su tía la despidió desde la puerta:

—Ve y ayuda a esa pobre gente y que Dios te ilumine y te guarde —dijo como sabiendo que ese día su sobrina necesitaría una bendición especial.

Cuando las dos mujeres llegaron, la situación estaba peor. Todos los niños, incluidos Isabel y Marcos, se habían enfermado. Mercedes, observando el mal semblante de Susi, le preguntó:

—¿Y tú cómo te sientes?

—Bien... aunque creo que también me enfermé, ya tengo los síntomas —dijo tocándose el estómago. Y agregó—: Pero mi hija está bien, he tenido mucho cuidado con ella.

—Susi, por Dios, tienes que acostarte. Llevaremos a tu bebé a mi casa. Eulogia, vete ya mismo y explícale la situación a tía María. Quédate allá cuidando a la criatura. Yo volveré más tarde.

—Niña, ¿está segura? —preguntó la mujer asustada. Imaginaba la respuesta de su patrona cuando le dijera que su sobrina se había quedado y que, además, le mandaba una beba.

—¡Segurísima! Vete pronto, que no queremos que la pequeña se enferme.

La mujer se fue, y el día más negro de su historia comenzó para Mercedes y la familia Falcón. No le alcanzaban las manos para darles de beber agua a todos, ni daba abasto con el cambio de sábanas. La enfermedad hacía estragos en los cuerpitos deshidratados, mientras la madre de los niños empeoraba.

Para las tres de la tarde, la desgracia llegó y pasó lo peor. Silenciosamente, sin quejarse, sin querer molestar, la pobre mujer murió. Su mano, en un intento por consolar a sus hijos hasta último momento, quedó apretada a la de uno de los pequeñitos.

Unas horas más tarde, murieron dos de los niños. Mercedes no podía hacer nada, ni siquiera pedir ayuda. Casi no quedaba gente en la zona y la poca que había no se arriesgaba a entrar en una casa infectada y desconocida. Y ella no podía dejar a esos enfermos solos. Debía aguardar la medianoche, hasta que pasara el carro fúnebre que recogía los cadáveres.

Decidió no contarles nada de las muertes a los niños que seguían conscientes. Y como pudo, disimuló, pero Susi preguntaba con insistencia qué era lo que sucedía, hasta que, al caer la noche, la muchachita empeoró y ya no habló.

Mercedes veía cómo desmejoraban los demás y se desesperaba. Para las doce escuchó el grito:

—¡Saquen a sus muertos! ¡Saquen a sus muertos!

Y por primera vez, la espantosa frase no le pareció tan cruel. Salió a la calle como una autómata, con sus vestidos sucios, el rostro herido por el dolor, y le dijo al hombre:

—Necesito ayuda, estoy sola. Tengo dos niños y una madre muertos.

—¡Señorita Mercedes...! ¿Qué hace aquí? —El hombre la reconoció; era la maestra del normal. Bajó del carro, cargó los cuerpos y le aconsejó—: No debería estar aquí, cuidando sola a tantos niños.

—¡No puedo marcharme y dejarlos! Por favor, vaya a la casa de mi tía y pídale que me mande ayuda.

—Recién podré hacerlo cuando termine mi turno, en la madrugada. Pero le prometo que lo haré.

—Está bien. ¡Hágalo, por favor! —le imploró.

El hombre se fue y la noche se cerró sobre Mercedes, que continuó atendiendo a los enfermos. Los limpiaba, les daba agua y hacía lo que podía, cuando Marcos, el más pequeño, murió. Observó el rostro desmadejado del niñito, la carita pálida y, a su alrededor, los cuerpos desvalidos de sus hermanos, y ya no soportó más. Un llanto se adueñó de su garganta y corazón. Durante media hora lloró y se desahogó; cuando las lágrimas se le terminaron, la cabeza le estallaba y el vientre le dolía. Con pavor, comprobó que acababa de contraer cólera.

Se recostó al lado de uno de los niños y, al sentir que Susi gemía de sed, se levantó con un último esfuerzo para alcanzarle agua. Con el vaso en la mano, mientras caminaba hacia ella, le pareció ver el primer resplandor de la mañana en la ventana, pero ya no pudo ver nada más; una negrura espesa y mortal la envolvió y cayó al piso.

Lo que siguió después, para ella, fue una mezcla de realidad y ficción en la que don Manuel la cargaba en sus brazos, su tía la atendía, la sed la consumía y la muerte la acechaba.

Durante dos noches luchó en agonía contra la muerte. Pero no estaba sola: dos figuras se quedaban a su lado; le parecía que don Manuel la besaba en los labios y que su tía le acariciaba la cabeza. Y eso le bastaba para seguir peleando.

CAPÍTULO 12

MÁS UNIDOS DE LO QUE CREEMOS

Uno está enamorado cuando se da cuenta
de que la otra persona es única.

JORGE LUIS BORGES

Cuando a la tercera mañana se despertó y estuvo plenamente consciente, pronunció sus primeras palabras.

—¿Cómo están los niños?

—Merceditas, tienes que descansar. Sólo te digo algo: aquí está la hijita de Susi. La hemos cuidado muy bien y también se ha quedado con nosotros Pedro, uno de los más pequeños de la familia Falcón.

—¿Quién fue a buscarme? ¿Cómo me trajeron? Creí que me moría...

—Casi nos has matado del susto. Pues no vas a creer quién te rescató. Don Manuel vino esa tarde a casa, la noticia de la peste en Córdoba había llegado a sus oídos y quiso saber cómo estábamos. Quiso verte.

—¿Don Manuel vino a casa?

—Sí, y yo le dije que habías partido a lo de los Falcón y que vendrías más tarde. Él prometió volver al día siguiente. Pero pasaban las horas, y como tú no regresabas, me desesperé porque no tenía a quién mandar. A la mañana siguiente enviaría a Eulogia... pero con la primera claridad del día, de improviso, apareció don Manuel cargándote en sus brazos.

133

—¿Yo en sus brazos?

—Así es. Dijo que en medio de esa noche, loco de preocupación por ti, partió directo desde su hotel a buscarte a la casa de los Falcón... y que te encontró allí, tirada en el piso.

¡Era verdad que don Manuel la había rescatado! ¡No habían sido sus alucinaciones!

—Tía, ¿dónde está él ahora?

—Se quedó hasta saber que te repondrías, no quería importunarte cuando despertaras. Además, debía viajar a San Francisco del Chañar para ver a don Cárcano. Y desde allí, volvería a Buenos Aires.

¡Por qué se había ido! ¡Ella necesitaba agradecerle! Necesitaba... verlo... Necesitaba... escuchar su voz, reconoció.

Cansada aún por la reciente convalecencia, sintió que estos pensamientos la desbastaban. Cuando estuviera sana, hablaría con él; no, mejor le escribiría una carta... sí, una carta. Fue su último pensamiento antes de quedarse profundamente dormida.

Luego de unos días, Mercedes ya estaba restablecida de manera plena y su tía les hablaba a todos los vecinos y amigos del milagro que le había concedido «el Jesús bendito» —así lo llamaba—, al dejarle a su sobrina con vida.

Con cuidado, la mujer le dio la noticia de que la familia Falcón había perecido casi en su totalidad y, con profundo dolor, Mercedes se enteró de que los únicos que se habían salvado eran Pedro, de seis años, y la hijita de Susi. Los niños no tenían quién los reclamara, ni con quién estar y estaban viviendo con ellas.

De Urtiaga no habían tenido noticias; su tía le contó del

cariño con que él la había cuidado cuando estuvo grave, y aunque el médico indicó que no lo hicieran, ella lo había visto besándole la frente, los ojos y hasta los labios. Y ni hablar de la desesperación con que la había traído en sus brazos cuando la encontró sin sentido en la casa de los Falcón. La anciana le había tenido que dar un té de tilo y pasionaria, porque creyó que esa noche el hombre se volvería loco. En un momento, hasta lo oyó maldecirse por haberla tratado mal en Buenos Aires.

Doña María ya había consultado con el notario para quedarse de manera definitiva con los dos pequeños de la familia Falcón cuando una mañana recibieron la visita de Miguel y Francisquita, que aún iba de velo y riguroso negro. Ellos querían criar como hijos a los niños Falcón. Hubo una nueva consulta con el notario y en dos días, con lágrimas en los ojos, pues ya los querían como si fueran de la familia, se los entregaron. Los extrañarían, pero era lo mejor para todos. Las criaturas tendrían padres y la pareja, destrozada por la muerte de su primogénito, restablecería una familia.

Dos semanas después de la fatídica noche, durante una hermosa mañana, sentada en su patio, bajo la sombra de la pérgola repleta de perfumados jazmines, Mercedes le escribía una carta a don Manuel. Si él no venía, no importaba: ella necesitaba decirle de alguna manera las cosas importantes que daban vuelta en su corazón.

Una vez que terminó la misiva, decidió leerla para cerciorarse de que no se había olvidado de nada de lo que quería poner.

Estimado D. Manuel:

¿Cómo podré agradecerle lo que ha hecho usted por mí? Verdaderamente me ha dejado sin palabras. No sólo he quedado muda por todo lo que hizo, sino también al pensar de qué manera usted presintió que mi vida peligraba. Desde entonces, una pregunta se ha metido en mi pecho: ¿acaso estamos realmente más unidos de lo que creemos?

Cuando desperté y me enteré de que se había marchado, sentí una pena enorme al no poder verlo. Se dará cuenta de que contándole estas cosas le abro sin cuidado alguno mi corazón y mis sentimientos, pero si no lo hago con usted, que me ha salvado la vida, ¿con quién lo haré?

Es usted un buen hombre y lamento mucho los malentendidos a los que nos hemos expuesto. Si en algo yo he estado mal, le pido que me perdone.

Me gustaría verlo y mantener una larga conversación sobre lo ocurrido. Creo que, si la tuviéramos, muchas cosas importantes pasarían. Quedo a su disposición para la charla que nos debemos.

Suya con eterno agradecimiento,

Mercedes Castro

Estuvo conforme con lo escrito. Al día siguiente la enviaría. La dobló y la puso en un sobre; mientras lo hacía, su tía le trajo un mate. Tenía novedades para contarle.

—Merceditas, acabo de volver del mercado y deberías ver lo que es la ciudad. ¡Las calles están atestadas de carruajes con los trastos de la gente que regresa a sus casas! Pero casi no hay personas vestidas de otro color que no sea negro. ¡A todos se les ha muerto alguien durante la espantosa peste!

—¡Qué terrible!

—Así es... En la calle también me encontré con *miss* Armstrong y me ha pedido que te cuente la noticia: en dos meses se reanudarán las clases en el normal.

—¿Está segura? ¿Tan pronto?

—Sí, dicen que la epidemia merma día a día y que para esa época habrá pasado lo peor.

—Será bueno volver a la normalidad, los programas escolares se han atrasado muchísimo y debemos recuperar el tiempo perdido.

—Me contó que tomarán exámenes adicionales en cuanto abran la escuela.

—Espero recuperarme por completo. A veces, todavía me siento débil.

—Tienes que cuidarte, el médico ha dicho que estarás repuesta en unos días. Ahora —propuso—: ¿por qué no entras y descansas un poco?

—Sí, tía, entraré —aceptó—, pero antes... tome. —Extendió su mano con el sobre—. Hágamela llevar al correo, es una carta para don Manuel. —Y al ver la cara de alegría de doña María, agregó—: Es sólo un mensaje de agradecimiento.

Aunque ella bien sabía que era algo más. Había sido absolutamente sincera respecto a sus sentimientos. Con lo que había escrito, al hombre le daba verdaderas esperanzas.

Se dedicó a esperar la contestación, pero no llegó ni en los primeros quince días, ni en los segundos, ni en los terceros. Un mes y medio después, cuando ya estaba segura de que no recibiría nada, se reanudaron las clases. Y eso la rescató de la obsesión diaria que había contraído:

presentarse en el correo para buscar una respuesta que no llegaba.

Las niñas volvieron a la escuela y, ante el atraso sufrido por los meses en suspenso, la dirección decidió tomar exámenes para recobrar el nivel. Las maestras no daban abasto y fue invitado a participar de las mesas examinadoras don Ángel Ávalos, eminente educacionista de Córdoba. Al culminar el primer día de trabajo y, tras abandonar los claustros, el hombre les comentó a varios colegas interesados en la experiencia: «Estas mujeres poseen un claro talento y tienen una notoria competencia pedagógica. Además, están realizando espléndidos exámenes». La frase quedaría en libros para la posteridad.

Si bien el colegio cobraba prestigio día a día, todavía eran muchos los que se indignaban por que no fuera religioso. Ni la mortandad sufrida, ni las penurias a las que la ciudad se había visto sometida, hicieron mermar la lucha de los tradicionalistas contra el normal. Tampoco bajó el ánimo de la escuela la amenaza de excomunión para las alumnas.

La hostilidad continuaba y las maestras le daban batalla; cuando Mercedes creía que se había acostumbrado a lidiar con los enemigos del normal, una noticia nefasta llegó a sus oídos.

Reunidas todas las docentes en el gabinete de *miss* Armstrong, la directora les habló:

—Queridas profesoras del normal, mucho tiempo hemos pasado juntas en esta institución, lo que me ha permitido verlas crecer profesionalmente y, también, quererlas de manera incondicional. Por eso, en cuanto me enteré de la novedad, he querido compartirla con ustedes antes de comunicársela a cualquier otro. —Hizo una pausa y exhaló un suspiro; tenía los sentimientos a flor de piel. Continuó—: La señora del presidente de la república, que, como saben, reside en Córdoba, ha insistido, junto con sus amigos los jesuitas, para que su esposo ponga al frente de este colegio a alguien de su propia fe. Por esta razón, *miss* Howard y yo nos marcharemos.

—¡Eso no puede suceder! ¿A dónde irán? —exclamó Mercedes.

—El ministro, disgustado y apenado por la decisión, nos ha dado a elegir entre las cinco escuelas normales que se están organizando.

—¡Pero la lucha será la misma aquí o en otra provincia! —protestó Antonia perdiendo la paciencia.

—No, otras provincias son menos fanáticas. En Corrientes habíamos tenido una hermosa experiencia. Córdoba nunca nos ha querido.

—No diga eso, *miss*, nosotras las amamos —confesó otra de las jóvenes docentes.

—Lo sé. Pero la realidad es que estaremos aquí unos meses más, hasta que se reciba la primera promoción del normal. Ese acontecimiento, sin dudas, será una verdadera victoria, porque ese fue nuestro sueño cuando vinimos a Córdoba.

—Deberíamos escribirle al gobierno para solicitarle que ustedes se queden —propuso Mercedes, mientras todas asentían.

—¡No! Nadie hará nada. Obedeceremos al presidente de la nación —contestó decidida *miss* Armstrong.

La charla terminó con abrazos y algunas lágrimas. No había nada por hacer; las norteamericanas, después de más de tres años de lucha, se irían de Córdoba. La noticia había sido un golpe bajo para el plantel.

Por primera vez, Mercedes sentía que el colegio perdería una parte importante. «¿Qué haremos nosotras? —se preguntó—. ¿Podremos seguir adelante? ¿El colegio soportará este embate? ¿Será mejor que lo dirija una argentina católica?»

Ante los interrogantes, una seguridad se plantó en su interior: «No, el normal no dejará de existir. Sea quien sea el que lo conduzca, ya no podrán arrancarlo de la ciudad».

Algunos días después, mientras Mercedes desayunaba, apareció Eulogia. Traía algo en la mano.

—Niña, esto es para usted. Me parece que es lo que estaba esperando, ¿no? —dijo la criada tras extenderle un sobre.

Mercedes sintió un vuelco en el corazón. ¡Al fin!

Pero la decepción se instaló en su rostro al ver que era un sobre enviado por un mensajero y no por el correo. No creía que fuera de don Manuel.

Lo abrió, leyó la misiva; era del gobernador. Le decía que la esperaba esa misma tarde en su despacho. Necesitaba hablar urgente con ella.

La sorpresa del primer momento dio lugar a la preocupación: «¿De qué querrá hablar conmigo? ¿Tendrá que ver con Urtiaga?», pensó. Sabía que ellos continuaban siendo amigos. «¿O tendrá que ver con los últimos acontecimientos vividos en el normal?»

No era común —por más que ella perteneciera a una familia conocida— que el gobernador llamara a su despacho a una profesora.

Una vez que desayunó, partió para su trabajo. Inquieta, pasó la mañana. A la única que le contó sobre la cita fue a su amiga Antonia.

—¡Por qué te afliges tanto! ¿Acaso no te puede llamar para algo bueno?

—¿Algo bueno como qué?

—Como que Urtiaga quiere verte o... como que vas a ser la nueva directora del normal.

—¡Deja de soñar, Antonia! Si Urtiaga quisiera verme, vendría. O, al menos, me escribiría. Y si de nombrar directora se trata, ya están barajando el nombre y no es el de ninguna de nosotras, sino el de una mujer bastante mayor.

—Amiga, te está fallando la fe para soñar cosas buenas —le dijo Antonia. Y, entre risas, agregó—: Yo que tú, me hago un viaje a Buenos Aires y tomo el toro por las astas con don Manuel.

La sugerencia retumbó en sus pensamientos. Pero ir sola a Buenos Aires era un disparate, además de imposible. ¿Y qué le diría a don Manuel? «Vengo a buscarlo para hablar...» ¡Ridículo!

CAPÍTULO 13
SOPLO SUBLIME

Todo acto de bondad
es una demostración de poderío.

MIGUEL DE UNAMUNO

Esa tarde, se arregló sobriamente para su encuentro con el gobernador. Llevaba vestido de seda, guantes y sombrero prendido al cuello con cintas, todo en color rosa. Decidió ir en el tranvía, para hacer más rápido.

Por el camino se cruzó con Teresa García, que le dio vuelta la cara. Ya no le importaba, se había acostumbrado a ese tipo de desplantes, así como la mujer también había tenido que aceptar que el normal seguía y seguiría en pie.

Cuando llegó, el gobernador la hizo pasar de inmediato.

—Buenos tardes, Merceditas. ¿Cómo está su tía?

—Muy bien, señor gobernador.

—Me alegro. Mándele mis saludos, por favor. Ahora... me imagino que le intrigará saber a qué se debe mi llamado... Pero antes que nada, quédese tranquila, porque se trata de una buena causa.

Mercedes suspiró aliviada y sonrió.

—Señor gobernador, dígame qué necesita.

—Iré al grano: hemos recibido una donación de tierras junto con un hermoso edificio en El Progreso, al norte de la provincia. La persona que lo donó quiere abrir una escuela

143

allí. El paraje se encuentra alejado —reconoció—, así que sería una «escuela rural», como llaman ahora a estos nuevos establecimientos que se están abriendo.

—Es una verdadera satisfacción que la gente sienta amor por la educación y que haga esta clase de donaciones.

—Sí, pero me piden que, en honor a las altas referencias que tienen de usted como profesional de la educación, sea la directora y maestra fundadora. Dicen que es un lugar hermoso y que en la zona hay muchísimos niños. La propuesta concreta que le hace el gobierno es la siguiente: un contrato de trabajo por dos años para crear y organizar, junto con dos maestras que estarán a su cargo, el establecimiento educativo de El Progreso. Además, dispondrá, entre otras cosas, de una vivienda. Vencido el plazo, si se quiere marchar, se le exigirá que deje funcionando la escuela y, si se puede, otra en el pueblo vecino.

—Señor gobernador... no esperaba semejante propuesta, es un verdadero honor. Pero...

—Déjeme terminar... si usted no acepta, dudo de que el donante admita a otra directora. Casi ha sido una condición excluyente que usted, con su preparación, sea quien la lleve adelante.

—Pero ¿por qué? Eso es una locura, yo no soy tan especial. Aun así, tendría que pensarlo. Usted sabe que mi lugar está en el normal.

—Sé cuánto ama al normal, pero también sé que allí, muy pronto, habrá cambios importantes. Por otro lado, reconozco que usted lleva en la sangre la pasión por enseñar y que, según me han dicho, no le teme a nada...

—Miedo a vivir en el campo... no tengo. Y tampoco, al desafío. Pero déjeme pensarlo.

—Tiene un mes para contestarme. Pongo a su disposición una galera para que la lleve a conocer el lugar cuando usted

144

quiera. Le anticipo que —agregó el gobernador, a sabiendas de la trascendencia del hecho—, si acepta el trabajo, podrá terminar el año escolar en el normal y ver egresar a la primera promoción. Es más: dos flamantes maestras podrían ser nombradas como sus colaboradoras, ya que recién comenzarían a trabajar a principios del año entrante. ¿Qué me dice? ¿Me tendrá al tanto?

—Señor gobernador, le agradezco la propuesta y le avisaré en cuanto tenga una decisión, ya sea que acepte o no.

—Muchas gracias, señorita Castro.

—A usted, su merced —dijo ella inclinándose con una reverencia.

Se saludaron y se despidieron.

Él, admirado: realmente Sarmiento había logrado sacar a las mujeres del pequeño mundo familiar e introducirlas en el universo laboral; y la chica, tal como le habían asegurado, no le tenía miedo a nada.

Ella, conmocionada: la propuesta movía los cimientos del armazón de su vida. Decidió volver a su casa caminando, necesitaba pensar.

Aceptar era dejar el normal. Pero, al fin y al cabo, el colegio no sería el mismo sin las *misses* y ya se vislumbraban nuevos apoyos tras conocerse que una directora católica tomaría el mando. Por lo tanto, no tenía que preocuparse por el normal. La propuesta era enseñar en el más puro de los estados; además, los niños le encantaban; para colmo de males, si no lo hacía ella, tal vez nadie lo hiciese.

A la difícil decisión se le sumaba un agravante: si se instalaba en el campo, ya no vería a don Manuel. Hacía un tiempo que lo esperaba ansiosamente, mas él no había dado señales de vida. Ni siquiera le había respondido su carta. La verdad era que se aparecía cuando quería y se iba cuando le daba la gana. Con Urtiaga no podía esperar ninguna relación, por más que le hubiera salvado la vida.

Se sintió entre la espada y la pared: quería seguir en el normal y volver a ver a don Manuel, pero el nuevo desafío la tentaba. «¡Ojalá pudiera hacer todo!», deseó.

Cuando llegó a su casa y relató lo que había conversado con el gobernador, los ojos de doña María se desorbitaron. «¿Qué locura es esa de querer llevar a la chica al medio del campo?», rezongó entre dientes. No obstante, con el paso de las horas, la pobre mujer comprendió que, si a su sobrina se le había metido la idea en la cabeza, difícilmente podría convencerla de otra cosa.

Mercedes meditaba. Enseñar en el más inocente de los ámbitos, enseñar a niñitos hambrientos de conocimientos. El normal, el orgullo de ser una pionera, sus alumnas, sus amigas, la ciudad de Córdoba, no volver a ver a don Manuel. Los pensamientos giraban en su cabeza, torturándola.

Pero sólo la atormentaron durante una semana. Luego, le envió una nota al gobernador para solicitarle la galera prometida; en cuanto se la enviara, ella viajaría a conocer el lugar, aunque todavía no estaba segura acerca de cuál sería su decisión final.

Para no entorpecer sus clases, dos días después, en la madrugada del sábado, el coche la pasó a buscar. Lo conducía Serapio Santillán, un curtido lugareño del paraje donde querían levantar la escuela; el gobernador lo había mandado a traer especialmente para que la acompañara. Llegarían a la tarde y Mercedes dormiría sábado y domingo en la casa de una familia de la zona. El lunes, muy temprano, emprendería la vuelta; así, sólo faltaría un día al normal; el primero y el único en los tres años que llevaba ejerciendo como maestra.

Cuando el hombre llegó, la miró, hizo una reverencia, se presentó y le dijo:

—Es un honor llevar a nuestra futura directora.

—No se apure, don Serapio, que aún no está dada mi última palabra.

—Cuando conozca el pago, se enamorará del lugar.

—¡Vamos, entonces! A ver si me enamoro. —Y en el exacto momento en el que dijo «enamoro», se le aparecieron los ojos grises y la sonrisa perfecta de don Manuel. ¿Podría arrancarlo alguna vez de su corazón?

Doña María, después de darle tres canastas con provisiones suficientes para alimentar a un batallón, la besó y hasta lloró, como si su sobrina se fuera para siempre. Mercedes intentó tranquilizarla:

—Tía, sólo son dos días. El lunes a la noche estoy aquí.

—No sé, me huelo que terminarás marchándote a ese lugar.

—¿Y cuál es el problema? Se viene conmigo ¡y listo!

—¿Yo...? ¿Irme de Córdoba para siempre? Ni pensarlo. Soy citadina y cordobesa hasta la médula.

La abrazó por décima vez y Mercedes, al fin, partió.

El viaje se le hizo largo; la excitación era mucha.

Pero para la tarde, el traqueteo del vehículo se detuvo. Minutos antes habían pasado por el pueblo más cercano. El lugar estaba alejado, era un verdadero paraje. Cuando descendió de la galera, un verde exuberante la envolvió y el canto de cientos de pájaros la cubrió.

Una gran alameda se mecía al son de la brisa fresca y una calle de tierra se abría frente a ella. La capital de Córdoba era linda, pero sus campos eran un remanso inigualable.

—Serapio, ¿hay que ir por acá? —señaló la calle.

—Sí, pero un trechito nomás, después hay que continuar por un sendero, señorita, porque junto a los sauces hay un arroyo. Más tarde, si quiere, se lo muestro. Ahora, sígame.

Mercedes lo siguió, caminaron unos metros y luego se

adentraron por el camino más angosto. Tenía que levantar sus faldas, pues le molestaban para avanzar; la parte baja de sus piernas quedaba a la intemperie, pero no le importó: caminar en el verde agreste de las sierras –¡y entre espinillos!– no era fácil con semejante vestido.

Antes de que el camino se bifurcara, aún cerca de la calle grande, alcanzó a vislumbrar la vivienda. Serapio se la señaló.

No era lo que esperaba, su estado era bastante penoso. Sería difícil convertirla en una escuela. Con pasos decididos, sorteó los últimos obstáculos hasta llegar a la construcción. Los yuyos alcanzaban dimensiones descomunales.

Ya al frente de la propiedad, exclamó:

–¡Por José, María y el Niño! ¡Cómo se supone que convertiré esto en una escuela!

La desvencijada casona, aunque no era una ruina, estaba al borde de serlo. Era grande y parecía tener muchas habitaciones, pero le faltaba parte del techo, y si bien tenía la puerta cerrada, los huecos que en otros tiempos habían sido ventanas estaban completamente abiertos y permitían ver los enormes hormigueros de casi un metro dentro de los cuartos, donde los palán palán crecían desafiantes.

Pensó en el nombre del paraje –«¡El Progreso!»– y le resultó tan ridículo que, si no fuera por lo angustioso de la situación, hubiera soltado una carcajada.

Intentó abrir la puerta, pero, al forzarla un poco, cayó estrepitosamente. Era el colmo del desastre.

Se acordó de lo aprendido sobre cómo debía ser el edificio destinado para el funcionamiento de una escuela. A su memoria vinieron las palabras «normalistas» de *miss* Armstrong: «aireado, luminoso y espacioso». Y al mentarlas, admitió que quería retornar a Córdoba de inmediato.

Mercedes se dio vuelta y observó a Serapio. Su conductor,

absorto, saboreaba el pedazo de torta que le había entregado durante el viaje y que había guardado en el bolsillo.

No, este no era lugar para ella. ¿Qué había estado pensando cuando se decidió a conocer este páramo?

—¡Serapio!

—Mande, maestra.

—Lléveme a la casa donde pasaré la noche.

—¿No va a entrar a la casona para conocerla toda? —dijo señalando la construcción.

—Para muestra basta un botón.

—Si decide quedarse... El hombre que donó las tierras quiere conocerla y hablar con usted.

—Pues podría haber donado algo en mejor estado.

—Mire que también donó todas estas tierras —agregó y señaló la loma más lejana—, que se extienden hasta el arroyo hermoso del que le hablé.

Serapio no veía muy convencida a la maestra. Por eso, decidió darle todos los datos favorables que conocía:

—Además, esta persona aseguró que traería a sus peones y la levantarían como nueva.

—Acá hace falta mucho trabajo. Y no creo ser yo la indicada para llevarlo a cabo. ¡Vamos ya de una vez!

Regresaron por el camino que habían venido, subieron a la galera y en media hora estuvieron en la casa donde pasaría la noche. Al observarla, Mercedes suspiró aliviada. ¡Al menos era una vivienda civilizada!

Cuando bajó del coche, el joven matrimonio Balcarce y unos diez hijos, todos pequeños, la esperaban.

Alborotados, la querían saludar. Y los más chiquitos gritaban: «¡La maestra! ¡La maestra!».

La hicieron entrar a la arreglada casita y, a partir de allí, sólo recibió atenciones y afecto. La mujer, Ascensión, le ce-

149

baba mates y le ofrecía tortas fritas recién hechas. Los niños revoloteaban a su alrededor; las más chicas le acariciaban el pelo; les llamaba la atención su color claro. Y los más grandes traían algunas hojas y cuadernos ajados con números y letras para mostrarle los adelantos que, ellos creían, eran muchos.

La madre le hablaba exaltada:

—Señorita, no sabe cómo hemos soñado con una escuela para este lugar. Es una bendición que el dueño haya donado las tierras, la casa y que usted haya aceptado venir.

—¡Oh! Todavía no es seguro. Tengo mi trabajo de maestra en la ciudad.

—Tiene que decidirse y quedarse. Son más de sesenta niños los que la necesitan —dijo el hombre.

La charla amena y el cariño que estos desconocidos le brindaban, sumado a la evidente necesidad de instrucción que tenían los niños, con el paso de las horas comenzaron a inquietarla y ya no estuvo tan convencida de rechazar el cargo.

En la noche se hizo un gran asado en su honor. Muchas familias de la zona, todas con hijos en edad escolar, se acercaron a conocerla. Algunos le traían frutas y flores de regalo.

Cuando, extenuada por el viaje y las emociones, al final de la velada le mostraron el cuartito donde dormiría, ya no estaba segura de nada, salvo de que al día siguiente volvería a ver la casona. «Tal vez, no miré bien. Quizá no esté en tan mal estado como creí. Los arreglos podrán adecentarla lo suficiente como para transformarla en…», se dijo y se quedó dormida.

A la mañana siguiente, Serapio la acompañó. Otra vez luchó contra los yuyos para llegar a la construcción; los vestidos le molestaban. Sólo que esta vez tenía decidido entrar. Al trasponer el umbral, ahogó un grito cuando sintió que dos ratones pasaron sobre sus botinetas. Al fin, cuidándose de no pisar la tremenda ciudad de hormigas, se dio permiso para soñar.

Si bien se encontraba en un estado lamentable, era una casa espaciosa. Quien la donó, además, había prometido peones para recomponerla a nueva. Podían arreglarla, limpiarla, pintarla y acomodar bancos para los niños. Y cuando descubrió el cuarto que estaba al fondo, pensó que ella podría dormir allí e instalar sus pocas pertenecías y sus libros. Recordó a la familia que la había recibido y la casa donde había pasado la noche y un estremecimiento de optimismo la invadió. Y su juventud le permitió la osadía de sentir que el emprendimiento tendría éxito.

Un soplo sublime de amor a la patria, de sacrificio y vocación descendió sobre el cuartucho de la desvencijada casona hasta casi hacerse palpable y la envolvió.

Con su mano derecha tomó el rosario que colgaba de su cuello. A punto de encomendarse a Dios con un padrenuestro, decidió cambiarlo por una oración sencilla como las de *miss* Armstrong y, con el corazón abierto, exclamó: «¡Ay, Diosito, dame fuerzas para lo que voy a hacer! ¡Dame fuerzas para amar, para no amedrentarme, para ser útil a mi patria y para encontrar mi destino! Señor, en ti confía mi alma».

Si el padre Pedro se enteraba de que, de tanto en tanto, cambiaba los avemarías o los padrenuestros por oraciones espontáneas, la regañaría y diría que esa era la maldita influencia de las norteamericanas. Así que decidió que, cuando regresara, compensaría sus rezos con un rosario extra.

Ensimismada como estaba, la pregunta de Serapio, que desde fuera la observaba por la ventana, le cayó como un balde de agua fría:

—¿Y, maestra, se queda o no se queda en El Progreso?

Con un rocío de paz bañando sus facciones y una seguridad que sólo tienen los visionarios ante su destino, le
contestó sin dudar:

—Sí, Serapio, me quedo.

—Bueno, entonces ahora sí le puedo mostrar el arroyo.

—Deme unos minutos más y vamos.

El hombre asintió con la cabeza. Y ella se dedicó a imaginar el lugar lleno de niños; calculaba que entrarían más de
cien. Mientras lo hacía, otra vez Serapio se le apareció por
la ventana y le habló desde afuera.

—Maestra, me parece que viene el don que donó la escuela.
No conozco otro coche como ese —dijo lanzando un silbido.

Mercedes observó por la abertura: alguien se detenía en
la calle ancha, pero el reflejo del sol le impedía ver bien.

—Hágalo pasar, Serapio. Mejor que venga, así le muestro
cómo está este lugar.

Que entrara ese individuo, ya le apuntaría ella claramente
todo lo que le faltaba a la construcción. Una escuela no se
abría así como así. «Calma —se resignó–, mejor que lo trate
bien», pensó cuando comprendió que tendría que relacionar-
se bastante con ese hombre caritativo.

Caminaba entre los hormigueros confeccionando una lista
mental de lo que le pediría al hombre que hiciera, cuando, a
sus espaldas, sintió pasos de botas y una voz familiar que le
hablaba:

—¿Y? ¿Se queda, maestra?

Se dio vuelta sobresaltada. Esa voz...

—Porque si se queda, de inmediato le mando a los peones
y comenzamos la obra.

—¡Don Manuel! —Las piernas le flaquearon.

—Yo mismo, de carne y hueso.

—¡¿Qué hace aquí?!

—¿Como qué hago? Estas son mis nuevas tierras, he comprado todo el valle. Y he donado esta casa y las hectáreas que la circundan para erigir una escuela.

—Pero, usted...

—Sí, fui yo quien le propuso al gobernador que viniera usted de directora. Se lo exigí, casi, como condición.

—No me parece que eso... haya sido... justo. —Trataba de hablar coherentemente, pero la cabeza le estallaba. Las cosas habían perdido su lógica. La sola figura de don Manuel en medio de la ruinosa construcción ya era una locura. Se sinceró al borde de las lágrimas—: Manuel..., ¿qué pretende de mí?

La vulnerabilidad de la joven y la pregunta lo quebraron. Y, acercándose a ella, explotó en ternura y fogosidad.

—Yo de usted... pretendo... ¡todo!

Se aproximó más. Ese aroma que lo volvía loco. Esa cintura que lo llamaba. Perdía coherencia y control. Ensayó una explicación.

—En su carta, usted me daba esperanzas y ese aliento me insufló la fuerza necesaria para tomar la decisión impostergable. Esta escuela es para usted, para que ya no siga atada a ese contrato que no le permite casarse.

Mercedes no alcanzaba a entender por completo.

—¿Y piensa dejarme aquí, a salvo del contrato, mientras usted vive en Buenos Aires?

Urtiaga ya no soportó más: se abalanzó sobre ella y la abrazó con fuerza.

—Pienso hacerla mi mujer y quedarme aquí, con usted, los años de trabajo que le pide el gobierno.

—¿Aquí, los dos? ¿En la escuela?

—¡No! El valle tiene una hermosa estancia y usted será la señora de esa casa.

Los brazos varoniles aprisionándola y atiborrándola de

emociones no le permitían concentrarse en la explicación tanto como quería. Pero todo parecía cobrar sentido.

Lo miró profundamente. Los ojos grises la perdían. Le hubiera dicho que sí a lo que sea, sin importarle qué le exigieran.

Pero él se desesperó, no lograba encontrar la respuesta en su mirada. ¿Y si ella se negaba? No, no la podía perder. La asió de la cintura aún con más fuerza por miedo a que desapareciera, a que fuera una ilusión y, con el corazón en un puño, le dijo:

—Ya no soy ningún muchachito, pero usted se ha metido en mis entrañas y me tiene en sus manos. No puede decirme que no...

Ella lo descubrió y se conmovió: Urtiaga estaba al punto de las lágrimas.

—Don Manuel... yo soy suya, siempre lo he sido.

La frase taladró el corazón del hombre. No soportó más y comenzó a besarla como nunca antes. Al fin y al cabo, en una semana sería su mujer, porque no pensaba esperar más que eso para hacerla su esposa. Por primera vez, el plan cerraba y, juntos, podían armar un futuro.

Se quedaron largo rato besándose en la destruida sala de la inminente escuela. Hasta que los carraspeos y los ojos atónitos de Serapio los sacaron de su mundo.

—Disculpen, pero... Maestra, ¿va a querer bajar al arroyo?

Mercedes sonrió, no sólo por la pregunta de Serapio, sino porque la vida era buena con ella. Tanto sacrificio, tanta decisión difícil y ahora: el fruto. No necesitaba abandonar su vocación, este nuevo desafío era lo que su alma anhelaba y lo podía llevar adelante con el hombre que quería. Se le hizo realidad el dicho: «Lo que uno siembra, eso cosecha».

Esa noche, los dos comieron en casa de la familia Balcarce. Los planes de abrir la escuela y los de un inaplazable casamiento exaltaban a todos los presentes por igual.

Al día siguiente, Mercedes conoció la estancia; y, también, los planes de Urtiaga de hacerla su esposa en una semana.

—La casa es bellísima y queda a sólo minutos de la escuela. Pero, don Manuel, usted que está acostumbrado a la vibrante Buenos Aires, ¿soportará permanecer aquí?

—Mire, Mercedes, la verdad es que yo no voy a estar quieto. Tengo ocupación de sobra con el nuevo libro que me han encargado. Además, no se olvide de que haré trabajar algunas hectáreas del campo. Y cada tanto tendré que viajar a Buenos Aires, donde se encuentra mi hacienda.

—Me parece bien que esté entretenido, porque yo también lo estaré con la escuela.

—Mañana comenzarán con la obra en la escuela y nosotros volveremos a Córdoba para organizar el casorio. Hay que pedir turno con el padre Pedro para esta semana.

—¡Por favor, no sea loco! Necesito tiempo para preparar el ajuar y además… quiero terminar el año escolar en el normal.

—Otra vez ese normal.

—Don Manuel, quiero estar presente en la primera colación de grado. Deseo ser testigo del egreso de las alumnas que han compartido conmigo más de tres años —insistió la joven con firmeza.

¿Qué le podía negar a esta mujer? Nada. Aunque se le haría difícil respetar el recato estos meses, pues ella le hacía perder la cabeza.

—Merceditas, se hará como usted quiera.

—Nos casaremos la semana siguiente a la colación. Además, y esto se lo digo de verdad, una novia necesita muchas cosas para casarse como Dios manda.

Él pensó que todo lo que necesitaba estaba frente a sus ojos, pero no se lo dijo. Y así, se convirtió en cómplice del millón de preparativos que se llevaron a cabo mientras avanzaba la construcción de la escuela de El Progreso y Mercedes terminaba sus clases en el normal.

Para ella, los últimos días del año escolar fueron de lo más emocionante; tanto que, por momentos, se olvidaba de que su casamiento se aproximaba.

Tras casi cuatro años de lucha, con la mitad de la ciudad en contra, al fin verían la primera camada de egresadas. El normal no se había cerrado y tampoco se cerraría ya. Se había instalado en la ciudad de Córdoba para quedarse y ella había sido parte de los que hicieron posible ese sueño. El establecimiento sería uno de los normales fundados en el país del que saldrían los cientos de docentes que regarían de educación la nación argentina.

CAPÍTULO 14
DOS VOCACIONES:
MUJER Y MAESTRA

Cuando pienso en mi vocación
no temo a la vida.

ANTÓN P. CHÉJOV

Juntas, maestras y alumnas prepararon la fiesta de graduación. Mercedes había tenido la idea de representar ese día
algunas partes de la obra de teatro *El mercader de Venecia* y
el plan había tenido gran acogida. Las egresadas harían los
papeles principales. Pero en medio de los ensayos, un grupo
de jóvenes se empacó; les parecía poco decoroso interpretar
los personajes masculinos ¡y encima, con ropa de hombre! La
presentación peligró. Y Mercedes y Antonia debieron pasar
horas convenciéndolas de que nadie diría nada, que la decencia no estaría en peligro y que la obra sería un éxito aunque
algunas vistieran ropas masculinas. Al fin, cuando lograron
persuadirlas, los ensayos continuaron y a las maestras les
volvió el alma al cuerpo.

Don Manuel pasó la mitad de ese mes en un hotel hasta
que cedió a la insistente invitación de la familia Cárcano, que
lo conminaba a quedarse en su residencia hasta la fecha de
la boda. Cada tarde, no obstante, pasaba por la casa de Mer-
·cedes. Lo hacía de dieciocho a diecinueve horas, como doña
María exigía: «Hasta el último momento se deben cuidar el
recato y las buenas costumbres». Temía por las habladurías
y por ellos mismos, ya que era un tiempo de aproximaciones

peligrosas para la pareja. Doña María, un día, durante un descuido, los había visto dándose un beso más que atrevido; por eso extremaba los cuidados.

Lo cierto fue que, entre las últimas actividades del normal, el noviazgo apasionado y la organización de la escuela de El Progreso, las semanas se pasaron volando y la graduación llegó.

El día de la colación de grado, en la puerta del normal se apostaron desde temprano tres agentes de policía; algunas insinuaciones maliciosas de que podría haber incidentes determinaron la medida preventiva. Pero esa tarde, pese a las advertencias de los espantosos castigos que recibirían los católicos que se atrevieran a concurrir a la ceremonia, a la hora señalada la gente llegó. Como, asimismo, llegaron las siete canastas llenas de moños enviadas por el gobernador, con un excelente vino para el convite final.

Mercedes entró acompañada de don Manuel y su tía e inmediatamente se sentó junto a las demás maestras y directoras. También se presentaron todas las alumnas y sus familiares, más algunos invitados especiales, como el cónsul norteamericano, e integrantes del plantel del Observatorio Nacional, entre ellos, su director, el señor Thome, con su señora esposa, *miss* Wall.

Un aire de triunfo y expectación reinaba en la sala cuando la ceremonia comenzó. *Miss* Armstrong daría el discurso de la entrega de diplomas y Mercedes sería la encargada de pronunciar las palabras iniciales. Con voz emocionada abrió la reunión y habló sobre la verdadera vocación y el amor a la patria. Lo hizo mirando, en todo momento, a las graduadas, a la primera promoción de maestras del normal de los cientos que la institución brindaría al país.

Luego de la entrega de diplomas –hecha en medio de

lágrimas de emoción–, y ante la expectación por el número musical y la pieza teatral, justo cuando estaban a punto de comenzar, se escucharon sordos y estrepitosos estallidos, uno detrás del otro. ¡Eran piedras arrojadas por personas que buscaban malograr el acto! Después del susto del primer momento y de comprobar que los proyectiles no habían causado daño a nadie, siguieron adelante con el programa. Sólo los gemidos de algunos muchachotes haciéndose los graciosos desde sus butacas volvieron a molestar hasta que, al comprender que nadie se les uniría a la cháchara y ver a Urtiaga levantándose en dirección a ellos con mirada furibunda, no les quedó otra opción que comportarse.

Finalmente, la obra teatral se llevó a cabo con éxito, al igual que la colación. No obstante, cuando llegó el momento de servir el refrigerio para los invitados, hubo un último incidente que sortear: los mismos jóvenes que habían perturbado el desarrollo del acto con sus inoportunas bufonadas se habían robado –ante sus propias narices– el vino enviado por el gobernador. Pero el problema se solucionó de manera rápida y sencilla con una limonada hecha por manos comedidas.

Con las primeras oscuridades, el acto terminó. En la puerta del normal, la despedida de Mercedes con sus amigas, y de las directoras con el grupo y su personal, hizo lagrimear a los presentes que aún quedaban.

Dispuestos en los asientos del carruaje, Mercedes se secaba las lágrimas mientras don Manuel le decía palabras cariñosas y su tía le acariciaba el cabello. Ella intentó explicarles sus sentimientos:

—No lloro de tristeza, sino de alegría. En estos años hemos hecho un esfuerzo tan grande… —Resopló—. Y ver a las niñas con su título, listas para ir a educar al país, me ha dado tanta satisfacción… ¡que no puedo evitarlo! —dijo, y lloró conmovida.

—Pues deja algunas lágrimas de emoción para tu boda, que en una semana te casas, hija mía —bromeó doña María.

—Vamos, Merceditas —trató de distraerla don Manuel—, que se te acaba este trabajo, pero te espera uno más grande allá, en El Progreso. Me han dicho que se inscribieron más de setenta niños.

—¿Tantos ya? ¿Está seguro?

—Sí, a la tarde llegó uno de los peones para contarme cómo van las refacciones de la casona y me trajo la noticia.

—¡Hay tanto por hacer! —dijo Mercedes. Luego, observando al hombre unos instantes, agregó—: Manuel, no tengo palabras para agradecerle por estar a mi lado en este proyecto; salvo que yo le prometo estar con usted y apoyarlo en los suyos.

Urtiaga la miró y sonrió. Ella era la maestra, su maestra. Y hasta a él le había metido ese amor por la enseñanza que abrazaba con ahínco. Estaba tan entusiasmado como ella con abrir la escuela en El Progreso. Y no sólo eso: ya soñaba con abrir otra en el pueblo vecino.

UNA SEMANA DESPUÉS...

Ese luminoso sábado por la mañana, la iglesia de la Compañía, que resplandecía de belleza, estaba repleta; no cabía un alfiler. Una de las sediciosas maestras del normal se casaba... ¡y no era para perdérselo!

El padre Pedro había terminado aceptando casar a Mercedes y a Manuel Urtiaga por cariño a la chica, de la que había sido su confesor desde pequeña, y por respeto a la tía, que pasaba más horas que él en la iglesia. Había dejado de lado los rencores de los últimos años con Merceditas, ya que, gracias a Dios, la muchacha se alejaba del normal. Aunque él, como muchos cordobeses, ya comenzaba a acostumbrarse a la existencia de ese colegio que, evidentemente, había venido para quedarse. «Tal vez, soplen nuevos vientos y ya sea hora de asimilarlos», meditó mientras veía cómo Mercedes hacía su ingreso a la iglesia, ataviada de novia y del brazo de don Cárcano.

Observó a Urtiaga, que, frente a él, temblaba como una hoja cual si fuera un muchachito... ¡y eso que ya estaba lejos de serlo! Tenía que reconocer que formaban una linda pareja, aunque ambos eran bastante rebeldes. Pero, bueno... tal para cual. Ya se vería cómo se las arreglarían con tanto carácter e independencia.

Mercedes caminó los primeros pasos y, con una oración en su corazón, se encomendó a Dios; el asunto de la temida noche de bodas la mantenía notablemente alterada. Pero al ir acercándose a don Manuel y ver sus ojos mansos cargados de amor, se tranquilizó: nada que lo tuviera a él por protagonista podía ser malo.

Ambos se miraron y una sonrisa cómplice los unió. La vida les sonreía. Era tiempo de disfrutar del guiño que les hacía.

CINCO MESES DESPUÉS

En el aula, Mercedes se dio vuelta buscando con la mirada a Carlota, una de las dos muchachas recién recibidas en el normal que le ayudaban en el colegio. No la encontró; había tantos niños que las horas de recreo eran un verdadero caos. Seguramente, estaría afuera, cuidando a los más revoltosos. Caminó hacia su gabinete y, cuando estuvo sentada en el interior, reconoció que, si bien su tarea como directora de la escuela de El Progreso le agradaba, mucho más le gustaba enseñar a los niños; y sus momentos en el aula, dando clases, eran su mayor tesoro. Miró por la ventana y divisó a su esposo, acercándose en un sulki. Se rio al pensar cómo había cambiado: ¡dejar su lujosa galera por un sulki! Pero bueno... si bien era menos elegante, era lo más cómodo para moverse por los caminos del lugar.

Vio cómo se bajaba del vehículo y cómo los niños se le acercaban, formaban una ronda para preguntarle cosas y le exigían las pasas de higo, las nueces que solía traerles... Y entonces, mientras contemplaba el cuadro, una oleada de felicidad y satisfacción la envolvió. Se sintió una privilegiada, había podido unir sus dos mundos: escuela y hogar. Sus dos amores: enseñar y Manuel Urtiaga. Sus dos pasiones: un hombre y su vocación.

Y agradeció a la vida y a este trozo de tierra llamado Argentina que le permitía disfrutar de ser mujer y de ser maestra.

APÉNDICE HISTÓRICO

El proyecto de Sarmiento

Entre 1869 y 1898 llegaron desde Estados Unidos sesenta y cinco docentes: cuatro hombres y sesenta y un mujeres. El arribo del grupo fue el resultado de una exhaustiva labor del educador Domingo Faustino Sarmiento, quien tenía el plan de traer maestras norteamericanas para que se desempeñen como directoras y profesoras en los colegios normales que él había visionado para cambiar la educación del país.

La familia Cárcano

Cárcano es uno de los apellidos ilustres de la ciudad de Córdoba. Ramón José Cárcano se graduó como abogado en 1879. Su tesis doctoral «De los hijos naturales, adulterinos, incestuosos y sacrílegos» se presentó en la universidad de Córdoba en 1884 y desató una gran discusión pública, ya que el escrito postulaba la igualdad entre los hijos legítimos y naturales. Su concepción era nueva para la época y eso le valió el ataque del obispo de Córdoba. Ramón era hijo de Inocente Bernardino Cárcano –italiano de abolengo lombardo, fundador de la Sociedad Filarmónica de Córdoba (hoy, Banda Sinfónica de la Provincia de Córdoba) y de la banda del Colegio de Monserrat, institución en la que se desempeñó como docente– y de doña Honoria César. Ramón Cárcano contrajo matrimonio con Anita Sáenz de Zumarán, cuyo padre era un importante banquero y cónsul de España en Montevideo.

LA CARTA PASTORAL DEL CONFLICTO

El 25 de abril de 1884, el vicario Jerónimo Clara lanzó una carta pastoral que fue leída desde todos los altares. En ella solicitaba que las hijas católicas de la ciudad no fueran enviadas a las escuelas normales. También se pedía que no se leyera la tesis de Ramón Cárcano.

El gobernador de la provincia, tras considerar que el documento era subversivo, elevó un informe de situación al Poder Ejecutivo Nacional. A través de una nota, el ministro Eduardo Wilde exhortó al cabildo eclesiástico para que dejara sin efecto el escrito. La curia mantuvo su posición y así quedó planteada la controversia.

Poco después, el gobierno nacional retiró el *exequatur* a monseñor Clara y ordenó su procesamiento ante la justicia federal. También tres profesores universitarios fueron separados de sus cátedras por solidarizarse con Clara: Rafael García, Nicolás Berrotarán y Nicéforo Castellano. Un grupo de mujeres salió a la calle y llegó hasta la casa del vicario para manifestarle su apoyo. En el trayecto, otras se le opusieron y mantuvieron un altercado público.

El 2 de junio de 1884, por iniciativa del presidente Roca y dándole continuidad al plan del otrora presidente Sarmiento, el colegio normal de Córdoba inicia el dictado de sus clases. Ese día es considerado fundacional.

Como directora y profesora del establecimiento fue nombrada la señorita Frances Gertrudis Armstrong, norteamericana, de veinticuatro años; en tanto que, como vicedirectora y profesora fue designada la señorita Frances Wall, también norteamericana.

Miss Armstrong, quien había llegado a la Argentina en el año 1879, estuvo en su cargo desde 1884 a 1887. Luego, fue la primera directora de la escuela de San Nicolás, la que se fundó en el año 1888. Allí ejerció hasta 1914. Falleció en 1928.

Miss Wall arribó desde Catamarca a Córdoba en 1884. Era una mujer bonita, rubia y llamativa a la que apodaban «La Machona» por sus hazañas atléticas, algo inusual en la época para una dama. En diciembre de 1885 se casó con el norteamericano John Thome, segundo director del Observatorio Nacional Argentino, quien había arribado al país junto con el grupo de astrónomos que fundaron la institución. En febrero de 1886, debido a la unión matrimonial, Frances Wall renunció al cargo de vicedirectora del colegio normal y fue reemplazada por *miss* Jennie Howard. Aunque el matrimonio volvió a su país en varias oportunidades para que sus hijos conocieran cómo era la vida en los Estados Unidos, Frances Wall y el doctor Thome vivieron siempre en Córdoba. Tras el fallecimiento de su esposo, y conforme a su espíritu aventurero, Frances se dedicó a recorrer la Argentina. Thome fue enterrado en Córdoba y se piensa que ella se encuentra a su lado, aunque no se puede precisar el lugar.

Jennie Howard se desempeñó como educadora durante treinta y seis años, hasta que se jubiló, en 1920.

Cuando el colegio normal cordobés inicia su actividad, también se nombran como profesoras a las señoritas Antonia Álvarez y Natalia Tapia; y, como celadora, a Nina B. Armstrong.

Las maestras y profesoras que eran contratadas por el gobierno para enseñar en las escuelas normales firmaban un contrato con el Estado. En una de sus cláusulas se estipulaba que la maestra no podía casarse. Si lo hacía, el acuerdo quedaba automáticamente anulado y sin efecto. Tampoco tenía permitido «andar en compañía de hombres». Además, el convenio establecía que, entre las ocho de la tarde y las seis de la mañana, debía permanecer en su domicilio, a menos que sea para cumplir la función escolar. No podía pasearse por heladerías del centro de la ciudad; además, se le aclaraba que no podía fumar, ni beber cerveza, vino o *whisky*; si la encontraban haciéndolo, era motivo de anulación del acuerdo laboral. Por otro lado, si no contaba con el permiso expreso del presidente del Consejo de Delegados, no podía abandonar la ciudad. No le estaba permitido «viajar en coche o automóvil con ningún hombre, excepto su hermano o su padre», ni «vestir ropas de colores brillantes», ni «teñirse el pelo», y se hallaba obligada a «usar al menos dos enaguas». La maestra no podía ejercer la función luciendo «vestidos que queden a más de cinco centímetros por encima de los tobillos». Tampoco podía utilizar «polvos faciales, maquillarse, ni pintarse los labios».

En septiembre de 1884, ante la continuación del conflicto entre los dos bandos cordobeses y en busca de una solución, *miss* Armstrong y algunas maestras y madres influyentes del colegio normal de Córdoba se reúnen con el legado apostólico, monseñor Luis Matera, para pedirle que retire el anatema que pesaba sobre el establecimiento educativo. Así, las familias cordobesas se sentirían en libertad para enviar a sus hijas a la escuela.

El nuncio les promete que lo hará con tres condiciones: primero, declarar en nota particular –para luego elevarla al obispo– que la intención de las docentes no es la de propagar la religión protestante; segundo, autorizar la enseñanza del catecismo católico en el colegio normal; y, tercero, permitir que el obispo visite la escuela para controlar la forma en la que se imparte el precepto religioso.

Miss Armstrong, la directora, y las maestras aceptan.

El 25 de septiembre, *miss* Armstrong le envía una nota al ministro Wilde para informarle sobre el tenor de la entrevista que ha tenido con Matera y para solicitarle que le permita cumplir con las tres condiciones impuestas por el nuncio. Pero Wilde se enfurece por la conducta de las mujeres, puesto que carecen de la autonomía suficiente para plantear cambios.

Al mismo tiempo, el ministro de Justicia, Culto e Instrucción le pide explicación al legado apostólico; sin embargo, como el esclarecimiento resulta insatisfactorio, el presidente Roca dispone que se le devuelvan las credenciales y abandone el país en veinticuatro horas.

En tanto que el ministro de Relaciones Exteriores, Francisco Ortiz, envía un informe a todos los miembros del cuerpo de diplomáticos extranjeros para exponerles la situación.

EPIDEMIA DE CÓLERA

En noviembre de 1886 se cierra el colegio normal y todas las escuelas por la terrible epidemia de cólera que azota a Córdoba y el país. La gente abandona la ciudad y parte al campo; los muertos son numerosos y se cuentan de a cientos. Un carro mortuorio pasaba todas las noches por la ciudad para recoger los cadáveres.

PRIMERA PROMOCIÓN DEL NORMAL DE CÓRDOBA

El 30 de agosto de 1887, en medio de una espinosa lucha de intereses contrapuestos, egresa, orgullosa, del colegio normal cordobés, la primera promoción de maestras. La división que vivía la sociedad en torno al funcionamiento del establecimiento educativo se deja traslucir también en la prensa. Desde sus páginas, el diario *El Interior* alienta y felicita a las recién recibidas, mientras que el periódico *El Porvenir* las critica y sostiene que pocas personas habían concurrido a la ceremonia de colación de grado.

LA LEY 1420

La Ley de Educación Común se aprobó el 8 de julio de 1884. Con esta norma, la instrucción religiosa quedó fuera del programa oficial y sólo se la impartía en calidad de optativa, fuera del horario escolar, y con la previa autorización de los padres. Además, decretaba la enseñanza laica, gratuita y obligatoria para todos los habitantes de seis a catorce años. En esa época, cada cien personas, noventa eran analfabetas.

Sarmiento realizó las tratativas necesarias para traer al país a Benjamín Gould con la finalidad de organizar un observatorio astronómico. Pero cuando el científico norteamericano llegó, Sarmiento ya era presidente y había fundado el Observatorio Nacional Argentino de Córdoba.

En 1872, el educador sanjuanino y Gould iniciaron los estudios meteorológicos en Argentina al crear la Oficina Meteorológica Nacional, que funcionó hasta 1884 en Córdoba y que luego se trasladaría a Buenos Aires. Hasta ese año y bajo la dirección de Gould, la dependencia funcionó como anexo del Observatorio de Córdoba. En 1885 se separó y en 1901 fue trasladada a Buenos Aires.

Los hombres que dirigían e integraban el plantel del Observatorio –en su mayoría, jóvenes brillantes graduados en universidades norteamericanas– interactuaban con las maestras traídas por Sarmiento. De esas reuniones sociales celebradas entre compatriotas surgió un noviazgo: el nacido entre Frances Wall y el subdirector del establecimiento astronómico, John Thome. Como la relación culminó en matrimonio, la maestra se vio obligada –tal como lo estipulaba el contrato– a renunciar a su cargo.

LOS EDIFICIOS DEL NORMAL

El colegio normal de Córdoba abrió sus puertas en una desaparecida casona de calle Alvear, entre la avenida Emilio Olmos y Lima.

Más adelante, la escuela funcionó en el edificio donde actualmente se encuentra la Facultad de Derecho de la universidad Nacional de Córdoba. Por ese entonces, algunas de las dependencias del Teatro Rivera Indarte –hoy, Teatro del Libertador General San Martín– se emplearon como aulas. Según relata Efraín Bischoff en su libro *Historia de los barrios de Córdoba*, el edificio de la avenida Colón donde hoy funciona la Escuela normal Superior Doctor Alejandro Carbó, tiene su propia historia relacionada con la educación: en junio de 1885, para aprovechar aquella manzana de terreno, el intendente Benigno Acosta fundó la Escuela Práctica de Agricultura. Dispuso, además, que asistieran una vez a la semana los alumnos varones de los colegios diurnos. La iniciativa subsistió durante varios años. Después, el predio fue cedido a las autoridades nacionales, las que, entre 1903 y 1912, construyeron el edificio que por su estilo arquitectónico se reconoce como escuela palacio.

BIBLIOGRAFÍA CONSULTADA

Historia de los barrios de Córdoba, Efraín U. Bischoff.
Mis primeros ochenta años, Ramón J. Cárcano.
La escuela normal y la cultura, Juan Manuel Chavarría.
Las maestras de Sarmiento, Julio Crespo.
Sesenta y cinco valientes. Sarmiento y las maestras norteamericanas, Alice Houston Luiggi.
En otros años y climas distantes, Jennie E. Howard.
Los simbólicos edificios de las escuelas normales de Córdoba, Carlos A. Page.

ÍNDICE

emecé